О ФОРМИРОВАНИИ СТРУКТУРЫ ПУТЕМ РАЗДЕЛЬНОГО И СОВМЕСТНОГО РОСТА ЗЕРЕН

Вадим Ол'шанетскии
Юлиа Кононенко
Андрии Скребтсов

О ФОРМИРОВАНИИ СТРУКТУРЫ ПУТЕМ РАЗДЕЛЬНОГО И СОВМЕСТНОГО РОСТА ЗЕРЕН

ScienciaScripts

Imprint

Any brand names and product names mentioned in this book are subject to trademark, brand or patent protection and are trademarks or registered trademarks of their respective holders. The use of brand names, product names, common names, trade names, product descriptions etc. even without a particular marking in this work is in no way to be construed to mean that such names may be regarded as unrestricted in respect of trademark and brand protection legislation and could thus be used by anyone.

Cover image: www.ingimage.com

This book is a translation from the original published under ISBN 978-620-6-18359-4.

Publisher:
Sciencia Scripts
is a trademark of
Dodo Books Indian Ocean Ltd. and OmniScriptum S.R.L publishing group

120 High Road, East Finchley, London, N2 9ED, United Kingdom
Str. Armeneasca 28/1, office 1, Chisinau MD-2012, Republic of Moldova, Europe

ISBN: 978-620-7-25758-4

О ФОРМИРОВАНИИ СТРУКТУРЫ ПУТЕМ РАЗДЕЛЬНОГО И СОВМЕСТНОГО РОСТА ЗЕРЕН

Вадим Ольшанецкий, Юлия Кононенко, Андрей Скребцов

ОГЛАВЛЕНИЕ

ВВЕДЕНИЕ

Данная монография представляет собой расширенную версию переведенной на английский язык книги "Об изомерном и кооперативном росте зерен в металлических системах", которая дополнена двумя разделами, практически подтвержденными экспериментальными результатами. Эти разделы касаются получения зеренных структур с граничными включениями в виде отдельных дисперсных фаз (а именно твердых включений или пор) как в случае их роста в обычных условиях (при использовании классических технологий получения сплавов), так и при использовании аддитивных технологий.

В монографии рассмотрены принципиально новые термодинамические подходы к объяснению особенностей кинетики роста как изомерных зерен, так и пластинчатых колоний однофазного и двухфазного типов.

В основе роста зерен первого типа лежит математическая теория, базирующаяся на представлении о топологических дефектах структуры (центрах роста), которые, подчиняясь действию реальных движущих и противодействующих сил, связанных с поверхностной энергией границ, способны эволюционировать во времени, приобретая на конечном этапе своего роста форму, близкую к равновесной. В результате были получены уравнения (законы роста), описывающие кинетику миграции границ общего типа. Эти уравнения в частных случаях легко сводятся к известным соотношениям параболического или кубического (при наличии примесей) типа. Они также в общем представлении (экспоненциальном или логарифмическом) позволяют (в отличие от стандартных подходов) корректно оценить, с малыми

3

инструментальными или статистическими погрешностями, энергию активации коллективного роста зерен однофазной структуры (с наличием или без наличия дисперсных частиц избыточных фаз).

Что касается колониального роста зерен, то этот процесс впервые рассматривается как двухстадийный, включающий две стадии: нестационарную и стационарную. На первой стадии под действием одной и той же (для сегментов и их стыков) движущей силы изгибаются только стыковые сегменты пластинчатых зерен.

При решении соответствующих дифференциальных уравнений были получены кинетические зависимости, логично описывающие поведение параллельного и веерообразного роста однофазных и двухфазных колоний, что обеспечивает удовлетворительную сходимость расчетных и экспериментальных результатов (например, при оценке продольного роста перлитных колоний).

Кроме того, рассматриваются вопросы формирования зерен в процессе спекания при использовании различных порошков (с сохранением твердофазных граничных включений или пор), а также при использовании аддитивной технологии наплавки.

1 МИГРАЦИЯ МЕЖЗЕРНОВЫХ ГРАНИЦ ЗЕРЕН ОБЩИЙ ТИП БЕЗ ВКЛЮЧЕНИЙ

1.1 Потенциальные и реальные движущие силы миграции для различных двумерных и трехмерных моделей зерновой структуры [1]

Рассматривая процессы роста зерен в однородной среде, часто для оценки склонности того или иного зернового конгломерата к увеличению размера среднего изомерного зерна прибегают к понятию потенциальной движущей силы роста. Потенциальные движущие силы определяются из термодинамического анализа поведения таких конгломератов (с огрублением зерен) и могут быть выражены в виде простых соотношений энергетических и размерных параметров, если предположить, что все зерна рассматриваемого конгломерата имеют одинаковую форму и размер. В этом случае форма плоского или объемного зерна будет определяться типом конкретной модели зерновой структуры, выбранной для рассмотрения из определенных термодинамических соображений.

Применительно к процессам роста потенциальная движущая сила миграции границ (роста клеток, зерен), как и любая термодинамическая движущая сила вообще, будет равна модулю отрицательного изменения удельного значения свободной энергии, если мысленно представить себе движение границы выбранной изомерной клетки (зерна) в направлении увеличения линейного размера этого элемента структуры.

В самом общем виде потенциальная движущая сила роста клеток или зерен - это производная граничной энергии по пространству, размерность которого соответствует размерности его структурного элемента. Так, для двумерного структурного пространства (реальным аналогом которого служит дислокационная сеть) эта движущая сила (P_S) определяется производной

$$P_S = \frac{dF_L}{dS} = \varepsilon \frac{dL}{dS},$$ (1.1)

где F_L - свободная энергия линейных границ ячеек структуры; L - общая длина таких границ; S - площадь рассматриваемого участка ячеистой структуры; ε - удельная свободная энергия линейной границы раздела между ячейками (например, упругая энергия (линейное напряжение) на единицу длины линии дислокации или, в случае деформирующихся ячеек, на единицу длины участка дислокационного "клубка").

Для объемной зернистой структуры потенциальная движущая сила роста уже определена как

$$P_V = \frac{dF_S}{dV} = \gamma\,\frac{dS}{dV} \quad , (1.2)$$

где F_S - свободная поверхностная энергия зерновой структуры; S - общая площадь границ зерен; V - объем рассматриваемой области зерновой структуры; γ - удельная свободная энергия поверхности раздела зерен (поверхностное межзерновое натяжение).

Обратите внимание, что ε и γ - это средние характеристики системы.

Физическая размерность движущей силы соответствует размерности следующих параметров, широко используемых в физике граничных явлений. Это сила Лапласа, действующая по нормали к участку единичной длины криволинейной линии границы (двумерное пространство), и давление Лапласа, действующее на граничную поверхность двойной кривизны (имеется в виду поверхность с двумя эквивалентными главными радиусами кривизны) в случае трехмерного пространства.

Рассмотрим несколько вариантов ячеек (зерен) плоских и объемных моделей и оценим их потенциальные движущие силы роста для случая устойчивого метастабильного равновесия (напряжения на стыках ячеек (зерен) стабилизированы). При рассмотрении двумерных моделей ограничимся равновесными плоскими ячейками в форме круга, четырехугольника, шестиугольника и четырехугольника со срезанными углами (рис. 1.1), а при переходе к трехмерным моделям - зернами в форме сферы, куба (гексаэдра) и куба со срезанными гранями (т.е. куба с гранями ромбического додекаэдра). При выборе той или иной модели структуры следует руководствоваться не только практическими соображениями (удобство математического анализа, связанное с упрощением формы уравнений, а, следовательно, и всех сопутствующих расчетов), но и общими термодинамическими принципами и энергетическими критериями. Важнейшим критерием такого рода является требование плотного заполнения пространства изомерными элементами структуры и минимизации свободной энергии межклеточных (межгранулярных) интерфейсов. Поскольку более плотное заполнение пространства ячейками (зернами) приводит к уменьшению длины (площади) свободных внутренних интерфейсов, этот критерий можно сформулировать несколько иначе: оптимальной (предельно строгой) модели структуры должна соответствовать минимальная длина всех внутренних пограничных участков. Поэтому при рассмотрении различных геометрических моделей, в принципе пригодных для аппроксимации любой реальной структуры, мы обязательно будем учитывать, насколько они удовлетворяют приведенному выше энергетическому критерию. Поскольку в выражении $(1.1)\, dL/dS \sim k/a$, где a - линейный параметр, определяющий размер ячейки (расстояние от ее центра до любой из сторон или плавно изогнутый контур), а k - коэффициент пропорциональности, зависящий от формы модельной ячейки, то потенциальную движущую силу удобно представить в виде

$$P = k\frac{\varepsilon}{a} \ . \ (1.3)$$

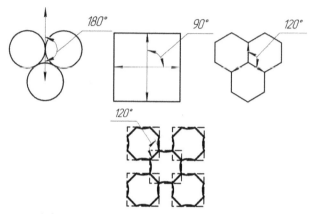

Рисунок 1.1– Модели двумерных зерен (ячеек) с характерными стыковыми соединениями.

Затем, основываясь на простейших численных оценках (удельные энергии всех внутренних интерфейсов принимались равными), мы получаем следующие формулы для оценки P в случае различных типов плоских ячеек:

для круга (,) $a = r$ $k = 1$ $P = \dfrac{\varepsilon}{r}$;

для тетрагона ( ) $k = 1/2$ $P_{(m)} = \dfrac{1}{2} \dfrac{\varepsilon}{a}$;

для шестигранника ( ) $k = 1/2$ $P_{(z)} = \dfrac{1}{2} \dfrac{\varepsilon}{a}$;

для четырехугольника со срезанными углами ( ) $k = 3/4$ $P = \dfrac{3}{4} \dfrac{\varepsilon}{a}$

.

В последнем случае свободные внутренние границы должны приобретать некоторую кривизну (см. рис. 1.1), чтобы обеспечить баланс сил линейного натяжения в тройных пограничных соединениях клеток.

Совершенно очевидно, что модель структуры с элементарной ячейкой в форме круга характеризуется минимальной (практически нулевой) межклеточной энергией, максимальной энергией ее свободных внутренних границ и, с точки зрения указанного критерия, является совершенно неприемлемой. Однако эта модель

8

(как и адекватная ей трехмерная модель структуры с зернами-сферами) часто реально используется в феноменологическом описании процессов роста (см., например, [3]), что, естественно, делает весь теоретический анализ рассматриваемых явлений недостаточно строгим. Из других моделей плоской структуры модель с ячейкой в виде шестиугольника представляется наиболее удобной, поскольку наилучшим образом удовлетворяет требованиям энергетического критерия. Однако она характеризует предельно равновесную ситуацию, когда процессы спонтанного роста уже полностью завершены. Хотя потенциальную движущую силу роста при таком характере структуры всегда можно определить (по формулам 1.1 или 1.3), реальной движущей силы (см. ниже) в этом случае просто не существует.

Из трех последних моделей наиболее удобной (для описания процесса роста клеток под действием движущей силы) является модель, в которой элементарная клетка имеет форму четырехугольника. Во-первых, эта модель достаточно хорошо удовлетворяет энергетическому критерию (для нее характерны лишь несколько повышенная межклеточная энергия и четверные стыки), а во-вторых, она позволяет встраивать в двумерную среду специальные топологические дефекты [4], которые уже имеют тройные граничные стыки (переход к реальной картине описываемого явления) и выступают в качестве центров активного клеточного роста под действием реальной движущей силы. Переходная зона между ячейкой - дефектом и остальной структурой с изомерными ячейками - четырехугольниками представляет собой область полушестиугольников (трапеций), приближающуюся по своим морфологическим признакам и суммарной граничной энергии к гексагональной модели клеточной структуры.

Последняя модель (ячейка со срезанными углами, то есть, по сути, восьмиугольник) также приемлема для рассмотрения, но ее использование значительно усложняет математическое описание и анализ поведения растущего элемента конструкции в общем процессе укрупнения ячейки.

В заключение обсуждения практической приемлемости различных моделей плоской структуры приведем еще несколько соображений в пользу модели с ячейкой в форме четырехугольника. Если взять равные площади геометрических образов рассмотренных выше ячеек, то их размерные параметры выстроятся в следующую цепочку неравенств:

$$r > a_{octag} > a_{hexag} > a_{tetr}. \qquad (1.4)$$

Таким образом, тетрагональная модель клеточной структуры является наиболее "динамичной", так как обладает максимальным потенциалом движущей силы роста. Кроме того, при переходе от плоской к сродной трехмерной модели (зерно в форме куба) срабатывает закон взаимно адекватного отображения, который означает, что все математические следствия при рассмотрении одной структурной модели обнаруживаются при замене ее другой адекватной, проявляющейся в силе, количестве до небольших поправок (численных или смысловых).

Теперь перейдем к более подробному анализу объемных моделей и их потенциальных движущих сил. Следуя уже выработанному подходу, можно опять-таки записать, что $\dfrac{dS}{dV} = \dfrac{k}{a}$, где, как и раньше, k - коэффициент пропорциональности и формы зерна модели, а a - расстояние (по нормали) от центра изомерного зерна до его внешней поверхности. Тогда движущая сила роста любого равновеликого (и изоморфного всем остальным) зерна выразится формулой

Теперь мы перейдем к более детальному анализу объемных моделей и их потенциальных движущих сил. Следуя уже разработанному подходу, мы снова можем написать, что $\dfrac{dS}{dV} = \dfrac{k}{a}$, где, как и прежде, k - коэффициент пропорциональности, зависящий от формы модельной ячейки, а a - расстояние (по нормали) от центра изомерного зерна до его внешней поверхности. Тогда движущая сила роста любого одинакового по размеру (и изоморфного всем остальным) зерна выражается формулой

$$P = k\frac{\gamma}{a} \ , (1.5)$$

Приведем значения потенциальных движущих сил некоторых простых моделей трехмерной зерновой структуры и, по возможности, установим их аналоги при переходе к двумерной ячеистой структуре. Итак, на основе несложных расчетов мы имеем для структуры, состоящей из соприкасающихся зерен-сфер (аналогом является двумерная модель с ячейкой в виде круга),

$$P = 2\frac{\gamma}{r} \ (a = r, k = 2); (1.5, a)$$

для структуры, состоящей из гексаэдров, ориентированных параллельно и смежных по целым граням (аналог - двумерная модель с ячейкой в виде четырехугольника)

$$P = 2\frac{\gamma}{a} \ (k = 1). \qquad (1.5, b)$$

Отметим одну важную особенность, касающуюся поведения коэффициента k при переходе от одной структурной модели к другой в рамках определенного структурного пространства (пространства одной и той же размерности). Так, в случае двумерного пространства мы имеем $1 \geq k \geq \frac{1}{2}$, а для трехмерного $-2 \geq k \geq 1$; причем при переходе от одной модели к другой (адекватной) с увеличением размерности пространства на единицу, k увеличивается ровно в 2 раза (судя по уже рассмотренным аналоговым моделям). Поэтому, используя ограниченную версию индуктивного подхода, можно предположить, что для пространственной модели с зерном в виде шестигранника со срезанными гранями (двумерный аналог - модель с ячейкой в виде восьмиугольника) потенциальная движущая сила будет определяться выражением

$$P = \frac{3}{2}\frac{\gamma}{a}\left(k = \frac{3}{4} \cdot 2\right) \quad . \ (1.5,\ \text{с})$$

Особого внимания заслуживает исследование возможности взаимного отображения моделей структурного пространства двух и трех измерений, когда в качестве двумерной модели выступает сотовая структура с шестиугольником в качестве элементарной ячейки (примером такой плоской реальной модели может служить равновесная двумерная микроструктура, проявляющаяся в любой произвольной плоскости среза пространственного объекта (однородного материала)). Оказывается, что такая структура не имеет строго адекватного трехмерного аналога.

Таким образом, реальные двумерные модели зерновой структуры не имеют реальных аналогов в трехмерном структурном пространстве.

В соответствии с требованиями энергетического критерия, зерна трехмерного поликристаллического агрегата должны иметь форму, позволяющую им плотно, без зазоров, прилегать друг к другу. Естественно, что в рамках этого ограничения форма зерен должна обеспечивать минимум суммарной энергии границ зерен. Как отмечается в работе 5[] , единственными элементарными телами, пригодными для заполнения пространства, являются зерна в форме кубооктаэдра 6[] , который имеет 14 граней минимальной общей площади (восемь шестиугольных и шесть квадратных). Он получается из стандартного кубооктаэдра путем легкого изгиба граней последнего и придания небольшой двойной кривизны шестиугольным граням. В результате образуется четырехсторонний стык граничных ребер с углом (между любой парой граней), равным 109°28′ , что удовлетворяет условиям теоретического правила Плато 7[] . Согласно этому правилу, равновесие границ наступает при условии, что двугранные углы тройных стыков зерен равны 120°, а в случае образования четверного стыка зерен (4 ребра и 6 граней пересекаются в одной точке), углы между ребрами соответствуют углам между четырьмя высотами кубического тетраэдра (то есть равны 109°28′).

Однако, как показывает практика, в реальной зерновой структуре кубооктаэдры (как доминирующий тип многогранников) не встречаются из-за крайне низкой вероятности их образования. Тщательное экспериментальное исследование реальных трехмерных ячеек пенопласта и зерен металла (α-латуни), проведенное в 8[], показало, что оба они по форме похожи на правильный пятиугольный додекаэдр. Грани этой фигуры пересекаются под углом 108°, а угол между пересекающимися гранями близок к 120°. Естественно, что после небольшого искривления граней эта фигура способна удовлетворить условию минимума поверхностной энергии. Хотя такие многогранники не способны сами по себе заполнять пространство без зазоров, они могут делать это в симбиозе с другими фигурами, удовлетворяющими двум условиям правила Плато.

Таким образом, легко заключить, что реальная зерновая структура (речь идет только о ее гомогенной версии) в равновесии представляет собой конгломерат полиэдров различной формы, полностью заполняющих (т.е. без зазоров) трехмерное пространство и удовлетворяющих требованиям правила Плато. И именно это является основной причиной уже упомянутого отсутствия адекватного трехмерного аналога с изомерными равноосными зернами в двумерной сотовой структуре с элементарной ячейкой в форме шестиугольника.

Теперь, в плане обсуждаемых здесь вопросов, рассмотрим возможности математического моделирования реальных зерновых структур (однофазных по природе и равновесных) с помощью геометрических пространственных фигур определенной формы. Очевидно, что наиболее подходящими будут те фигуры, которые дадут в произвольных сечениях плоские ячеистые структуры гексагонального типа.

На основе экспериментального изучения особенностей формы ячеек в двумерных сечениях различных моделей зерен авторы 9[]

показали, что ячейки плоских сечений кубооктаэдра, пентагонального додекаэдра и ромбического додекаэдра (куба со срезанными гранями) имеют пять или шесть граней. В работе 8[] это обстоятельство также было отмечено, но уже на основе исследования некоторых реальных металлов. Анализ сечений проволочных моделей зерен заданной формы, проведенный авторами работы [9], показал, что ячейки сечений моделей структуры с кубическим зерном чаще всего имели четыре грани (см. приведенные выше аналогии между трехмерными и двумерными структурами), а в случае использования структуры с зерном в форме правильного кубооктаэдра или куба со срезанными гранями - шесть граней. Поэтому, хотя все упомянутые выше трехмерные модели зерновой структуры в принципе пригодны для моделирования реальных структур, с чисто аналитической точки зрения при рассмотрении поведения объемных структур удобнее использовать их двумерные аналоги с последующим адекватным отображением полученных закономерностей в пространство более высокого уровня. Особенно удобной моделью двумерной ячеистой структуры в этом отношении является тетрагональная модель со встроенными в ее пространство конфигурационными (топологическими в терминологии Мартина и Доэрти 4[]) "дефектами" - ячейками с различным числом сторон (больше или меньше четырех) с прилегающими прослойками - "ожерельями" из нескольких модифицированных ячеек.

Приведенные выше выражения для потенциальных движущих сил роста объемных зерен (или плоских ячеек) часто используются на практике при анализе роста зерен (ячеек) в реальных структурах. Например, такая примитивная и в то же время широко распространенная модель, как близкоупакованный конгломерат зерен-сфер, контактирующих в отдельных точках, обычно используется в качестве основы для феноменологического описания процессов роста зерен в металлах и гомогенных сплавах 3[] . В этом случае использование выражения типа (1.5) в виде соответствующей модификации ($k = 2$ и $a = r$) для оценки реальной движущей силы позволяет получить известный параболический закон роста зерен (см. об этом 3[]).

Редкая реализация параболического закона роста зерен на практике заставила ряд исследователей[10, 11] фактически отказаться от использования выражений (1.3) и (1.5) (с конкретными значениями коэффициента k в зависимости от типа используемой структурной модели) в качестве аппроксиматоров реальных движущих сил. В своих моделях роста исследователи пытались как-то выделить "центры роста" (отдельные крупные зерна) вместе с мелкозернистым окружением и на этой основе, используя эмпирический подход, подобрать наиболее подходящую формулу для движущих сил, способную оценить реальную движущую силу хотя бы в пределах порядка ее истинного значения. Так, Гладман[10] для случая движущей силы эквигранулярной структуры предложил формулу

$$P = \frac{\gamma}{d} \frac{3f - 4}{2f} \quad , (1.6)$$

где $f = d / \bar{d}$ (d - диаметр растущего зерна (в произвольной плоскости среза); $\bar{d}$ - средний диаметр зерен, непосредственно окружающих растущее зерно); γ - свободная энергия границы зерна.

Аналогичная формула была предложена Хиллертом [11],

$$P = \frac{c\gamma}{d}\left(1 - \frac{1}{f}\right), (1.7)$$

где c - некоторый безразмерный коэффициент, зависящий от размерности структуры, а остальные буквенные обозначения имеют тот же смысл, что и в формуле (1.6).

Если структура в том или ином измерении далека от равновесного состояния или содержит ярко выраженные топологические дефекты (т.е. зерна или ячейки с числом граней (сторон), существенно отличающимся от наиболее распространенного значения), то некоторые грани (стороны) отдельных зерен (ячеек) будут заметно искажены. Для таких граней

15

(или сторон) реальная движущая сила может быть представлена с высокой точностью с помощью выражения, известного как формула давления Лапласа (или аналог этого выражения при использовании двумерной структуры). Таким образом, соотношение $P = 2\gamma/r$ справедливо для искривленных граней зерен, а $P = \varepsilon/r$ - для граничных сегментов ячеистой структуры (см. полученные ранее модификации формул (1.5, а) и (1.4)).

Сразу отметим, что разница в значениях потенциальной и реальной движущих сил роста очень существенна, даже если они вычисляются по формулам того же типа, что и выражения для давления (силы) Лапласа в случае двойной или одинарной кривизны поверхности (линии). Это происходит потому, что, как правило, r в 10-20 раз больше линейного параметра зерна (ячейки)[12] .

Все последующие рассуждения мы будем строить на основе двумерной модели зерновой структуры (иногда переходя к ее реальному аналогу - ячеистой дислокационной структуре), а полученные аналитические результаты по мере необходимости будем переносить на ее пространственный (трехмерный) вариант.

Пусть плоское зерно в форме криволинейного многоугольника с более чем шестью сторонами окружено "ожерельем" из более мелких и изомерных зерен. Даже если все тройные пересечения границ трех соседних зерен (центрального и двух соседних с ним меньших) находятся в равновесии (т.е, каждый угол такого стыка равен 120°), то в результате кривизны их общих граничных участков (круговых сегментов) возникает движущая сила типа лапласиана, т.е. $P = \varepsilon/r*$, где r* - радиус кривизны любого из граничных сегментов центрального зерна или, что то же самое, любого из граничных сегментов мелких плоских зерен, поскольку каждый такой сегмент является общим (межзерновым).

Эта формула, взятая применительно к объемной структуре (т.е. с заменойε наγ и введением коэффициента пропорциональности k, отличного от единицы), была использована Зиннером[13] для оценки движущей силы роста зерен в процессе коллективной рекристаллизации. При этом радиус $r*$ (или просто r), входящий в выражение, считается не более чем средним радиусом кривизны поверхности растущего зерна. Поскольку значение движущей силы при таком подходе оказалось слишком приблизительным, было предложено выбирать коэффициент k с точностью до порядка его величины, которая определяется типом модели зеренной структуры.

Если центральное зерно сделать бесконечно большим, то фронт границы станет прямолинейным, что приведет к изменению радиуса кривизны общих граничных сегментов.

Таким образом, радиус r^* есть не что иное, как обратная величина результата сложения двух кривизн (со своими знаками). Одна из кривизн определяется радиусом кривизны отдельного кругового сегмента (r) при наличии прямолинейного (плоского в случае объемных зерен) граничного фронта: крупное зерно - цепочка без разрывов соприкасающихся с ним мелких зерен с изогнутыми общими граничными участками (сегментами), а другая кривизна определяется радиусом кривизны самого граничного фронта (R), т.е.

$$\frac{1}{r^*} = \frac{1}{r} - \frac{1}{R} \qquad . \,(1.8)$$

Знак минус в этом выражении стоит потому, что кривизна фронта границы противоположна начальной кривизне каждого малого сегмента границы.

Справедливость выражения (1.8) не вызывает сомнений только в том случае, если при искривлении фронта границы не накладываются ограничения на поведение угла между сопрягаемыми криволинейными сегментами фронта границы (один из углов тройного стыка границ). Поскольку в равновесной (или квазиравновесной) ситуации этот стык уравновешен с точки зрения поверхностных (линейных) напряжений, указанный угол должен соответствовать 120°. Это требование можно легко выполнить, если ввести в приведенное выше выражение поправочные коэффициенты *A* и *B, что приведет* его к следующему виду:

$$\frac{1}{r^*} = A \cdot \frac{1}{r} - B \cdot \frac{1}{R}. \qquad (1.9)$$

Оценим коэффициенты численно для интересующего нас случая.

Для этого преобразуем скорректированное соотношение (1.9), умножив обе его части на $L/2$, где L - хорда дуги окружности фронта границы (см. рис. 1.2). Тогда получим равенство

$$\frac{L}{2r^*} = \frac{L}{2r}A - \frac{L}{2R}B . \quad (1.10)$$

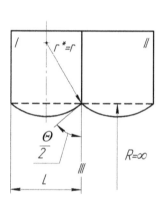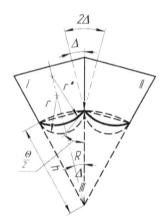

Рисунок 1.2– Форма фронта роста крупной ячейки (*III*) в контакте с двумя соседними (*I, III*) квадратными или трапециевидными ячейками (*I* и *II*).

Теперь, обратив внимание на рис. 1.2, отметим, что

$$\frac{L}{2r^*} = \cos\left(\frac{\theta}{2} + \Delta\right), \quad \frac{L}{2r} = \cos\frac{\theta}{2} \text{ (при неизогнутом фронте границы)}$$

и $\frac{L}{2R} = \sin\Delta$. Здесь везде θ - постоянный угол между круговыми отрезками фронта, а Δ - половинное значение угла между нормалями к хордам этих отрезков. После введения тригонометрических членов соотношение (1.10) преобразуется к виду

$$\cos\left(\frac{\theta}{2}+\Delta\right)=A\cos\frac{\theta}{2}-B\sin\Delta.$$

В это же время

$$\cos\left(\frac{\theta}{2}+\Delta\right)=\cos\frac{\theta}{2}\cdot\cos\Delta-\sin\frac{\theta}{2}\cdot\sin\Delta,$$

откуда мы получаем

$$A=\cos\Delta=\frac{h}{R}\ (h\cong R\text{ при }\Delta\leq 15^\circ)\text{ и }B=\sin\frac{\theta}{2}.$$

Поскольку Δ_{max} = 30° (случай предельной ячейки в форме шестиугольника), а θ = 120° (в дальнейшем нас будут интересовать в основном равновесные ситуации), то $1\geq A\geq\sqrt{3}/2$, $B=\sqrt{3}/3$, следовательно,

$$\frac{1}{r^*}\geq\frac{\sqrt{3}}{2}\left(\frac{1}{r}-\frac{1}{R}\right)\cong\frac{1}{r}-\frac{1}{R},\ (1.11)$$

что практически совпадает с выражением (1.8).

Таким образом, простейшие алгебраические операции (сложение, вычитание) с собственными значениями кривизны отдельного кругового сегмента и всего фронта границы вполне правомерны, поскольку обеспечивают хорошую точность совпадения (вплоть до постоянного коэффициента порядка единицы) результатов, полученных с фактической кривизной сегмента искривленного фронта границы.

Поэтому мы можем рассматривать каждый граничный сегмент многостороннего топологического дефекта как дважды и в противоположных направлениях изогнутый граничный элемент. Теперь выражение для движущей силы линейного граничного сегмента ($P=\varepsilon/r*$) можно переписать в окончательном варианте

$$P = \varepsilon \left(\frac{1}{r} - \frac{1}{R} \right) . \quad (1.12)$$

Покажем, что при определенных предположениях из этой формулы можно получить соотношения, являющиеся аналогами выражений (1.6) и (1.7). Предположим, что малые ячейки по форме приближаются к четырехугольнику со срезанными углами, а большая (центральная) ячейка - к многограннику с очень большим числом граней (т. е., по сути, к кругу). Заменив в формуле (1.12) одну из реальных движущих сил (а именно ε/r) на потенциальную для данного типа малых ячеек (см. соответствующую модификацию формулы (1.3)), а также подставив вместо радиуса R близкий по величине линейный размер равновесной большой ячейки b, получим

$$P = \frac{3}{4}\frac{\varepsilon}{a} - \frac{\varepsilon}{b} \cong \frac{\varepsilon}{\alpha}\left(\frac{3f-4}{4f}\right) \cong \frac{\varepsilon}{d}\frac{3f-4}{2f} \quad (1.13)$$

где ; $f = d/\overline{d} \cong b/a$ $\overline{d} = \dfrac{2(a \cdot n + b)}{n+1} \cong 2a$, где n - число изомерных зерен на одно большое.

Таким образом, мы получили формулу, практически совпадающую по форме с выражением (1.6), предложенным Гладманом для объемной структуры. Чтобы перейти к объемной зерновой структуре, в нашем случае нужно просто удвоить движущую силу P (см. выше).

Используя те же приемы, можно вывести соотношение, близкое по форме к выражению (1.7), приведенному в работе Хиллерта[11] . Предположим, что растущее относительно крупное зерно и окружающие его более мелкие зерна характеризуются примерно одинаковой формой, мало отличающейся от круга или, скажем, шестиугольника (последний относится к варианту относительно однородной структуры). В обоих случаях, заменив оба члена в формуле (1.12) потенциальными движущими силами (однотипными по природе и определяемыми конкретными модификациями выражения (1.3)), легко получить итоговые соотношения, которые для удобства анализа имеет смысл представить здесь в самом общем виде, то есть записать в одной формуле, не указывая значения коэффициента пропорциональности.

Последовательно выполнив все необходимые действия, мы приходим к выражению

$$P = \frac{k\varepsilon}{a}\left(1 - \frac{1}{b/a}\right) \cong \frac{2k\varepsilon}{\overline{d}}\left(1 - \frac{1}{d/\overline{d}}\right) \qquad (1.14)$$

или

$$P \cong \frac{c\varepsilon}{\overline{d}}\left(1 - \frac{1}{f}\right); \quad (c = 2k),$$

которая по виду полностью соответствует формуле (1.7), если заменить ε на γ. В то же время для структур двумерного типа безразмерная константа последней формулы лежит в пределах $2 \geq c \geq 1$, а при переходе к трехмерной модели ограничительное условие для с принимает другой вид: $4 \geq c \geq 2$.

Математические выражения, предложенные Гладманом и Хиллертом для движущей силы миграции, не имеют особой практической ценности (хотя и учитывают разницу в размерах соседних зерен), поскольку позволяют оценить лишь фиксированные средние значения этого важного термодинамического параметра и, следовательно, не способны функционально предсказать его изменение в процессе роста зерен. Примерно то же самое можно сказать и о зависимости (1.12), если не пытаться установить какую-либо аналитическую связь между радиусами кривизны, входящими в это выражение. Все дальнейшие усилия будут направлены именно на практическую реализацию таких попыток для некоторых конкретных структурных ситуаций.

1.2 Законы роста двумерных и трехмерных моделей зерновой структуры [14]

В этом разделе продолжается обсуждение теоретических вопросов, связанных с моделями зерен (ячеек) в двумерном и трехмерном пространстве [1], миграцией границ в однофазных системах.

Сначала рассмотрим математические модели микроскопического роста зерен (ячеек) с дважды и противоположно изогнутыми граничными сегментами, а также эволюцию топологических дефектов структуры и закономерности роста зерен (ячеек) с постепенным "выравниванием" их линейных размеров.

В качестве объектов рассмотрения возьмем следующие модели двумерных и объемных структур, которые находятся в удовлетворительном согласии с принципами минимума энергии границ зерен и плотного заполнения определенного пространства (принцип минимума энергии свободных поверхностей).

Пусть моделью фрагмента двумерной структуры является конгломерат ячеек в форме четырехугольников (внешний слой) или трапеций (переходный слой - "ожерелье"), окружающих относительно крупную (многосегментную) ячейку в виде фигуры с двумя осями симметрии (типа эллипса) (рис. 1.3), которую мы будем рассматривать как топологический дефект, способный к постепенной модификации в результате своего роста и, в конечном итоге, к самоустранению. Кстати, реальным аналогом такой структуры являются тетрагональные дислокационные сети, часто наблюдаемые исследователями при изучении субструктуры металлов.

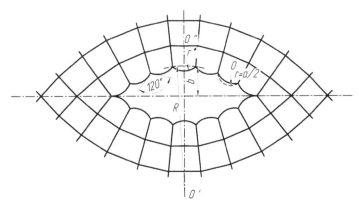

Рисунок 1.3 - Фрагмент теоретической модели двумерной зернистой (ячеистой) структуры с топологическим дефектом в виде многосегментной ячейки типа эллипса (тройные спаи в области изогнутого фронта границы уравновешены по напряжению).

Если относительно крупные топологические дефекты типа эллипса статически равномерно распределены в двумерном пространстве, то в процессе гипотетической миграции граничных сегментов с участием механизма их переключения из одной точки фиксации в другую[15] мелкие ячейки постепенно исчезают, а сами дефекты, изменяясь, объединяются в новый метастабильный конгломерат изомерных ячеек (скажем, таких же, но более крупных, чем прежде, плоских ячеек тетрагонального типа). Этот конгломерат со временем, в результате различных локальных нарушений топологического характера, порождает в своем окружении новые дефектные ячейки с большим (или меньшим) числом сторон, чем четыре (или равным четырем, но имеющим кривизну всех своих сегментов (рис. 1.4)). Исключительно крупные (многосегментные) эллиптические клетки в процессе своего роста иногда трансформируются в пластинчатые слои с неизогнутыми фронтами границ; эти пластины способны расти, увеличивая свою толщину, как в стационарном, так и в нестационарном режимах [16].

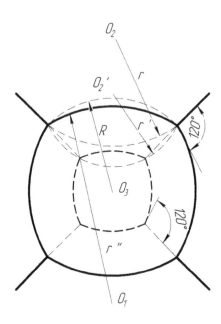

Рисунок 1.4 - Топологический дефект в виде криволинейного четырехугольника с напряженными сбалансированными тройными переходами (углы 120º).

Объемная (трехмерная) модель основана на зернах в форме гексаэдра или гексаэдра с гранями ромбического додекаэдра (т.е. куба со срезанными гранями). Естественно, такая модель должна включать топологические дефекты - зерна, отличающиеся по форме от гексаэдров (или их аналогов), а также промежуточные слои с зернами пирамидального типа. Однако подробный анализ таких моделей вряд ли целесообразен (прежде всего из-за его сложности) и, кроме того, в нашей постановке задачи он является факультативным, то есть описание поведения двумерной модели ячеистой структуры с некоторыми нефундаментальными изменениями (по форме, а не по сути) постулируется и для случая трехмерной модели зерновой структуры, поскольку обе модели выбираются таким образом, чтобы допускалось их адекватное взаимное отображение.

В работах[17-19] впервые обсуждалась целесообразность тщательного анализа (в математических терминах) более простой двумерной модели и применения (с определенной смысловой и численной коррекцией) уравнений, описывающих ее поведение во времени, к трехмерной версии структурной модели.

Поскольку любой общий участок фронта роста (реакции) искривлен дважды и с одинаковым знаком (из-за несоответствия линейных размеров большой ячейки и контактирующих с ней малых), необходимо проследить изменение обоих радиусов кривизны медленно распространяющегося фронта роста и, если возможно, установить хотя бы приблизительную зависимость в поведении этих радиусов. В случае небольших и равноосных топологических дефектов, то есть ячеек с числом одинаковых сторон, равным, например, трем, граничный фронт реакции будет быстро уменьшаться во времени, а сама ячейка дефекта уменьшать свои линейные размеры (вплоть до полного исчезновения). В этом случае, как и в более стандартном, должна существовать определенная взаимозависимость между обоими радиусами кривизны граничного фронта.

Таким образом, задача сводится к нахождению подходящего аналитического выражения (математической связи), в котором оба упомянутых радиуса кривизны (r и R) граничного сегмента были бы как-то связаны с линейными параметрами a и b, пропорциональными размерам ячеек, имеющих общую границу вдоль линии этого сегмента[20] .

Специально сделанная выше оговорка о медленно распространяющемся фронте роста крупной клетки имеет свой определенный и очень важный смысл. Речь идет о выделении таких временных этапов в процессе роста клетки, когда средние радиусы кривизны фронта границы r и R еще могут как-то меняться, а линейные (размерные) параметры a и b практически сохраняют свои прежние значения или меняют их, но не настолько быстро, чтобы функционирование уравнения-связки существенно нарушилось.

Априори предположим, что искомое соотношение между обоими радиусами кривизны граничного сегмента и изменяющимися во времени параметрами соседних зерен (большого растущего зерна и "уничтоженного" им маленького) имеет вид

$$r = a - \frac{b^2}{R} \, , \, (1.15)$$

где r - собственный радиус участка граничного фронта; R - радиус кривизны базовой линии граничного фронта; a - высота (размер) ячейки в форме трапеции или стороны граничной нормальной ячейки (четырехугольника) на $R = \infty$; b - половина меньшего размера растущей ячейки типа эллипса (параметры a и b выбираются в условиях равновесия напряжений в стыках ячеек вдоль линии граничного фронта).

Найдем соотношения между линейными параметрами a и b, удовлетворяющими условию (1.15), для различных типов топологических дефектов, выступающих в качестве активных центров роста.

В случае двумерной пластины (рис. 1.5) $R = \infty$ и $r = a$; параметр b в этом случае, разумеется, может быть любым. Другими словами, пластина, поглощающая с двух сторон квадратные ячейки, может иметь произвольную начальную ширину. Таким образом, соотношение также можно рассматривать как одно из граничных условий уравнения (1.15). Таким образом, соотношение $r/R = 0$ также можно рассматривать как одно из граничных условий уравнения (1.15).

Выберем в качестве объекта рассмотрения ячейку эллиптического типа с относительно небольшим (но более шести) числом круговых сегментов граничного фронта. И пусть оба радиуса кривизны r и R - сравнимые по величине величины.

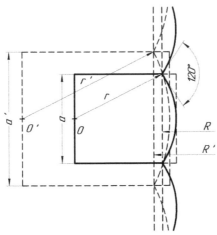

Рисунок 1.5 - Фрагмент теоретической модели двумерной зернистой тетрагональной структуры с топологическим дефектом в виде пластины (многосегментный граничный фронт имеет нулевую кривизну по базовой линии и уравновешен на стыках при растяжении). Пунктирные линии характеризуют новую равновесную ситуацию с увеличенными в процессе роста ячейками.

Предположим для определенности, что $r/R = 1/2$. Поскольку сегменты ячейки эллипса имеют повышенную кривизну (за счет конечной кривизны "дуги" фронта границы), r будет меньше a, где уже a - начальный размер (высота) ячеек трапеции (искаженных четырехугольников), окружающих центральную ячейку дефекта (см. рис.1.3 и 1.6).

Из чисто геометрических соображений (при условии существования 120°-ных стыков соседних круговых сегментов граничного фронта) следует, что $r \cong a/2$ (в случае ячеек шестиугольников $r \cong a/2$). Тогда из уравнения (1.15), подставив $r/R = 1/2$ и заменив r на $a/2$, можно получить приближенное соотношение $a \cong \sqrt{2}b$, которое служит важным признаком однородности плоской зеренной структуры, поскольку в этом случае размер топологического дефекта мало отличается от размера окружающих его трапециевидных зерен. Если же предположить, что

$r/R = 3/4$, а r еще меньше отличается от $a/2$, то после выполнения соответствующих подстановок уравнение (1.15) превратится в соотношение $a \cong \sqrt{3}b$. Увеличение отношения a/b в этом случае по сравнению с предыдущим свидетельствует о еще большем "выравнивании" плоской зернистой (ячеистой) структуры.

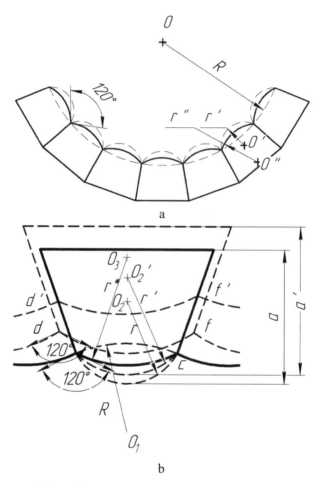

a

b

Рисунок 1.6 - Фрагмент теоретической модели двумерной зеренной структуры с топологическим дефектом в виде крупной многосегментной ячейки (типа эллипса) и искривленным фронтом границы (a); отдельной трапециевидной ячейки с размерными параметрами (пунктирные линии соответствуют новой равновесной ситуации после акта интегрального роста) (б).

И, наконец, возьмем предельное (для центров роста) значение отношения обоих радиусов кривизны, а именно $r/R = 1$. Для рассматриваемого случая r строго равно $a/2$, так как топологический дефект вырождается в обычную равноосную шестиугольную ячейку с прямолинейными граничными сегментами (так как $r = R = b$). Из уравнения (1.15), после замены r и R на соответствующие значения размерных параметров, следует, что $a = 2b$ (предельная степень однородности плоской структуры, поскольку последняя представляет собой обычную шестиугольную решетку с равными граничными сегментами). Следовательно, соотношение $r/R = 1$ выступает в качестве второго граничного условия уравнения (1.15).

Попробуем теперь как-то обосновать (хотя бы с приближенных теоретических позиций) наше уравнение-связку. Для этого приведем соотношение из раздела 1.1 (1.8) [1]:

$$\frac{1}{r^*} = \frac{1}{r} - \frac{1}{R}$$

формировать

$$r = \frac{Rr^*}{R + r^*} = \frac{r^*}{1 + \dfrac{r^*}{R}} \cong r^*\left(1 - \frac{r^*}{R}\right), \ (1.16)$$

поскольку для больших топологических дефектов двумерной структуры всегда $r^*/R < 1$.

Прежде всего отметим, что r^* мало меняется при миграции результирующей дуги (т.е. реального кругового сегмента криволинейного фронта границы), поскольку r и R изменяются в одном и том же направлении. Поэтому в уравнении (1.16) результирующий радиус выполняет функцию некоторого постоянного члена, который, в зависимости от значения отношения

$r*/R$, заданного в наиболее вероятном интервале допустимых значений (скажем, $0 \leq r*/R \leq 1$), может быть связан либо с другим линейным параметром двух соседних ячеек, одна из которых топологически является структурным дефектом.

При больших значениях R имеем $r* \cong a$ (ячейка в этом случае близка по форме к четырехугольнику, и фронт границы становится почти прямолинейным), и выражение (1.16) преобразуется в соотношение

$$r \cong a - \frac{a^2}{R}.$$

(1.16, a)

Однако в таком виде это соотношение не может выступать в качестве уравнения-связки, поскольку полностью не удовлетворяет граничным условиям физической картины.

Действительно, при $r \cong a/2$, как известно (см. выше), $\dfrac{r}{R} = \dfrac{1}{2}$ или $R = 2r \cong a$. Подстановка $r \cong a/2$ в выражение (1.16, a) дает сильно завышенный результат ($R = 2a$) для R, что нереально в рассматриваемой ситуации. С другой стороны, если опираться на условие $R = 2r$, то $r^* = Rr/(R - r) = R \cong b$ (топологический дефект близок по форме к регулярному многоугольнику) и тогда из (1.16) следует

$$r \cong b - \frac{b^2}{R}.$$ (1.16, b)

И в этом случае, если первое граничное условие в принципе выполняется (напомним, что для $R = \infty$ параметр b может быть любым, в том числе равным a), то второе не выполняется (для $r/R = 1$ и $R = b$ r также должен быть равен b, а не нулю). Поскольку соотношения (1.16, a) и (1.16, б) содержат весь набор мутабельных переменных (r и R) и параметров (a и b), практически постоянных для конкретного временного этапа роста, следует предположить, что эти выражения содержат как истинные, так и ложные члены, что требует их устранения по принципу перекрестного исключения.

Исключив второй член в (1.16, а) и первый член в (1.16, б), получим уравнение-связку в виде (1.15), которое, как уже говорилось выше, удовлетворяет граничным условиям рассматриваемой структурной картины.

Из последующего рассмотрения процессов роста зерен (клеток) станет еще более очевидным, что функция уравнения "связки" выбрана вполне обоснованно, так как с ее помощью можно получить наиболее общие решения, от которых легко перейти к известным частным.

Обратим внимание на следующее обстоятельство. Если предположить, что параметры a и b жестко фиксированы, то для сохранения $120°$-переходов вдоль всего фронта границы (а именно эта особенность фронта неявно входит в структуру соотношения (1.15)) радиусы кривизны должны меняться во времени совершенно произвольно, а топологические дефекты обязательно эволюционировать по форме.

В случае, когда a и b изменяются плавно и крайне медленно, практически сохраняя свои значения при небольших и практически пропорциональных изменениях (в одном направлении) радиусов кривизны, топологический дефект проявляет определенный консерватизм по отношению к своей конкретной форме для роста ячеистой (зернистой) структуры на всем рассматриваемом интервале времени.

Рассмотрим более подробно ряд топологических структурных дефектов (как и прежде, речь идет о двумерной модели или реальной (клеточной) структуре), которые выступают в роли активных центров роста.

Мы уже выяснили, что в случае, когда $a \le b$, зона роста представляет собой двумерную пластину, поглощающую с одной (краевая ситуация) или с двух сторон (граничные фронты с прямолинейными базовыми линиями) слои параллельно ориентированных квадратных ячеек. Выясним теперь, какую конкретную форму должна иметь ячейка роста, если при ее наличии выполняется условие, характерное для почти однородной структуры, а именно: $a \cong \sqrt{2}b$. Покажем, что этому условию вполне удовлетворяет продолговатый восьмиугольник (неправильный дитетрагон).

На рисунке 1.7 показан двухсегментный фрагмент топологического дефекта типа эллипса. Для того чтобы он полностью соответствовал рассматриваемому случаю, необходимо, чтобы $\gamma \cong 45°$, а $\alpha = \beta$. Сразу отметим, что при таком значении угла γ α = 15° и $\angle\, eds$ = 60° . Тогда, согласно "теореме синусов", у нас будет $\dfrac{b}{\sin 60°} = \dfrac{de}{\sin 45°}$, а затем $b\sqrt{2} \cong de\sqrt{3}$. Поскольку в нашем случае $\alpha = \beta$ и, следовательно, $r^{*} = R = 2r \cong a$ (так как из (1.16) следует, что при $r^{*} = R$ будет $r/R = 1/2$), а $\dfrac{1}{2}de = r^{*}\sin\alpha$, то в итоге получим $de = 2a\sin 15° \cong 0{,}516a$ и $b\sqrt{2} \cong 0{,}9a \cong a$.

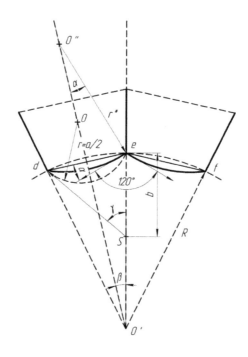

Рисунок 1.7 - Двухсегментный фрагмент искаженной тетрагональной структуры, включающий участок плоского топологического дефекта типа эллипса.

Таким образом, выполнение соотношения $a \cong \sqrt{2}b$ для фигуры рассматриваемого типа практически очевидно. В этом случае, $r/R = \dfrac{1}{2}$ и как ожидалось, функционирование уравнения-связки полностью обеспечено.

Найдем теперь конкретную форму эллиптической клетки роста, которая соответствовала бы структуре, практически совпадающей с предельно однородной клеточной структурой, характеризуемой соотношениями $a \cong \sqrt{3}b$ и $\dfrac{r}{R} = \dfrac{3}{4}$. Если предположить, что искомая эллиптическая клетка должна иметь некоторое сходство с искаженным (несколько сплющенным) шестиугольником, то необходимо проанализировать ситуацию, когда $\gamma \cong 60°$. Для этого случая получаем $r^* = 3R$ и, поскольку $de = r^* \sin\alpha = R\sin(30° - \alpha)$ (см. тот же рис. 1.7), приходим к уравнению $3\sin\alpha = \sin(30° - \alpha)$, откуда $\alpha = 7,5°$. Далее, с помощью "теоремы синусов", мы приходим к пропорции $\dfrac{b}{\sin(60° - \alpha)} = \dfrac{2R\sin(30° - \alpha)}{\sin 60°}$, из которой в итоге имеем

$$\sqrt{3}b \cong \frac{8}{3}a\sin 22,5° \cdot \sin 52,5° \cong a \text{ (здесь снова } r \cong a/2 \text{).}$$

Следовательно, ячейка дефектов такого типа вполне приемлема для данного уровня однородности нашей плоской структуры и находится в достаточно хорошем согласии с уравнением-связкой.

И, наконец, оценим степень приемлемости топологического дефекта в виде восьмиугольной ячейки (рис. 1.8). Для данной модели ячейки роста, в силу ее промежуточности, $\gamma = 45°$, и $\alpha = 7,5°$ (в соответствии с целевой установкой вполне естественно вновь ориентироваться на прежнюю величину отношения r/R).

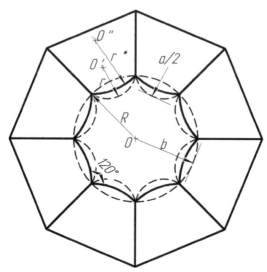

Рисунок 1.8 - Равноосный вариант топологического дефекта двумерной зерновой структуры, который окружен "ожерельем" из трапециевидных ячеек.

Действуя по аналогии с двумя предыдущими случаями, мы легко приходим к пропорции $\dfrac{b}{\sin\left(75° - 7,5°\right)} = \dfrac{2R\sin\left(30° - 7,5°\right)}{\sin 45°}$, которая в силу того, что $r = a/2$ приводит к промежуточному соотношению $a \cong 1,5b \left(\sqrt{2} < 1,5 < \sqrt{3}\right)$.

Поэтому, если необходимо использовать рабочие соотношения для линейных параметров соседних ячеек типа $a = \sqrt{2}b$ или $a = \sqrt{3}b$, можно, с некоторым приближением, заменить ростовую ячейку типа эллипс, для которой работает условие связки, на восьмиугольную, что делает иллюстративную сторону поведения двумерной структуры более наглядной (хотя такая равноугольная ячейка и не очень хорошо согласуется с уравнением-связкой).

Итак, попробуем получить аналитические выражения для скоростей ячеек (квадратных, топологически дефектных и промежуточных в виде трапеций) выбранной модели двумерной структуры. Основными рабочими формулами, служащими инструментом для достижения поставленной цели, будут известные

34

выражения для скорости миграции граничного сегмента [16], его движущей силы (1.12), а также математического условия-связки (1.15), устанавливающего взаимозависимость обоих радиусов кривизны этого сегмента:

$$\left.\begin{array}{l} \upsilon = mP; \\ P = \varepsilon\left(1/r - 1/R\right); \\ r \cong a - b^2/R \end{array}\right\} \qquad (1.17)$$

где m - средняя микроскопическая подвижность сегмента; ε - удельная граничная энергия; a и b имеют значение текущих размерных параметров соседних ячеек, одна из которых является топологическим дефектом (ее размерный параметр равен b).

Далее везде предполагается, что параметры a и b, удовлетворяющие уравнению-связке, медленно и плавно возрастают во времени (оставаясь практически неизменными в рассматриваемых временных интервалах), а также монотонно изменяют характер своего соотношения (a/b).

Рассмотрим сначала простейший случай, когда $R = \infty$ и топологический дефект (центр роста) представляют собой двумерную пластину. На рис. 1.5 показана одна из ячеек в форме четырехугольника, круговой сегмент границы которого является одной из многих компонент в общем (с дефектной ячейкой) фронте границы с прямолинейной базовой линией (хордой).

Объединив первые две формулы группы (1.17), получим простое дифференциальное уравнение вида

$$\upsilon = \frac{dr}{d\tau} = m\varepsilon\frac{1}{r}, \qquad (1.18)$$

решение которой приводит к параболическому закону изменения радиуса кривизны любого участка граничного фронта во времени.

Действительно, из (1.18) следует $\int_{r_0}^{r} r\,dr = m\varepsilon \int_{0}^{\tau} d\tau$, где r_0 - начальное значение радиуса сегмента, при котором межсегментный угол равен $120°$. Далее, после интегрирования имеем

$$r^2 = a^2 + 2m\varepsilon\tau, \ (1.19)$$

где $r_0 = a$ (см. рис. 1.5).

Легко видеть, что процесс роста в данном случае вызывает лишь увеличение ширины пластины центра роста (за счет постепенного "разрушения" контактирующих с ней клеток-тетрагонов) и не вызывает стремления к укрупнению базовых клеток двумерной структуры (т.е. в данном случае имеется определенная тенденция к образованию крупной моноячейки по завершении роста, если топологический дефект (пластина) присутствовал в структуре в единственном числе).

Процесс параболического изменения сегментов фронта роста (движущая сила процесса P постоянно только уменьшается) затухает, однако с увеличением каждого радиуса нарушается условие равновесия на граничных стыках фронта роста, что приводит к увеличению движущей силы, действующей на эти стыки (P_{junct}). В момент, когда две движущие силы равны ($P = P_{junct}$), затухающий (нестационарный) процесс роста сменяется стационарным, при котором весь граничный фронт как единое целое (т.е. вместе с узлами) движется с постоянной скоростью. При этом конфигурация самих стыков также должна меняться.

Если $1/a$ - это количество перекрестков на единицу длины базовой линии фронта границы (пунктирная линия), проходящей через тройные граничные узлы на рисунке 1.5), то

$$P_{junct} = \frac{1}{a}\left(1 - 2\cos\frac{\theta}{2}\right)\varepsilon = \frac{1}{a}\left(1 - \frac{a}{r}\right)\varepsilon, \ (1.20)$$

поскольку $\cos\dfrac{\theta}{2}=\dfrac{a}{2r}$ (см. рис. 1.5) и, поскольку $P=\varepsilon/r$, синхронизация движения сегментов и стыков граничного фронта осуществляется в тот момент, когда текущее значение r становится равным $2a$ (результат совместного решения обоих уравнений для движущих сил). Подставляя это пороговое значение радиуса кривизны r_{th} в (1.18), получим выражение для скорости перемещения граничного фронта в стационарном режиме

$$\upsilon_{st}=\frac{1}{2}m\frac{\varepsilon}{a}. \qquad (1.21)$$

В этом случае пороговое значение межсегментного угла θ_{th} будет определено из условия $\cos\dfrac{\theta_{th}}{2}=\dfrac{a}{2r_{th}}=\dfrac{1}{4}$ и составит $\theta_{th}\cong151°$.

Пусть теперь радиус кривизны базовой линии граничного фронта конечен, а двумерный топологический дефект структуры (центр роста) представляет собой ячейку типа эллипса. Тогда для описания процесса роста (как с точки зрения рассмотрения сиюминутных ситуаций, так и с точки зрения определения тенденции поведения двумерной структуры во времени) уже необходимо использовать все три уравнения группы (1.17).

Для начала преобразуем условие "связки", входящее в эту группу, к виду $\dfrac{1}{R}\cong\dfrac{a-r}{b^2}$, что позволит нам превратить выражение для движущей силы в функцию одной переменной (r). Действительно, подставив значения R^{-1} из уравнения-связки в формулу для P, мы получим

$$P(r)=\varepsilon\left(\frac{1}{r}-\frac{a-r}{b^2}\right)=\varepsilon\frac{r^2-ar+b^2}{b^2r} \qquad (1.22)$$

(в уравнении-связке знак приближенного равенства просто заменен на знак равенства, так как полезное функционирование этого соотношения возможно только при малых изменениях R и r).

И, наконец, для скорости изменения радиуса *r*, которая в любой момент времени связана с размером квадратной ячейки на равновесных граничных стыках ($\theta = 120°$), мы получаем следующее дифференциальное уравнение:

$$\frac{dr}{d\tau} = m\varepsilon \frac{r^2 - ar + b^2}{b^2 r}. \qquad (1.23)$$

Отметим одну важную особенность уравнения (1.23). Оно устанавливает определенного рода функциональную зависимость между радиусом начального сегмента граничной квадратной ячейки и временем контура фронта границы "нормальная ячейка - топологически дефектная ячейка". Использовать реальный радиус *r** невозможно, так как тогда математическое рассмотрение процесса роста будет, по сути, сведено к классическому случаю 3[] , который не учитывает фактор кривизны граничного фронта растущей клетки (точнее, наличие кривизны завуалировано тем, что движущая сила процесса в такой ситуации должна выбираться в виде ε/r*) и, следовательно, не может внести уточняющие нюансы в аналитическое выражение, являющееся решением уравнения (1.23). Кроме того, этот радиус никак не связан с размерами клетки-тетрагона, и закон роста, устанавливаемый этим условием, по сути, ничего не выражает. Из всего вышесказанного становится понятно, почему в качестве неизвестной переменной дифференциального уравнения роста следует выбрать радиус граничного кругового сегмента неискаженной клетки.

Когда фронт границы искривлен, в дополнение к действующей на этот сегмент движущей силе, равной ε / R , возникает противодействующая сила ($-\varepsilon / R$ или $\varepsilon(r - a)/b^2$), действующая на стыки фронта и тем самым способствующая "сглаживанию" кругового сегмента, когда для стыков, нарушенных актом искривления, устанавливается новое равновесное состояние. Это объясняет, почему реальный (результирующий) радиус кривизны *r** обязательно должен быть больше *r* (при сохранении размера хорды сегмента). (Примечание: плоские четырехугольные ячейки прямолинейного фронта границы после его искривления превращаются в искаженные трапециевидные ячейки при большом значении параметра *a*. Разворот квадратных ячеек порождает "клиновидные" разрывы в двумерном пространстве, "закрытие" которых приводит к частичной трансформации формы граничных ячеек. Требование, чтобы такие ячейки были равноосными, заставляет их расти в высоту до тех пор, пока последняя не станет равна размеру средней линии трапеции (новое значение параметра *a*). Если перейти к последующим слоям (второму, третьему и т. д.) клеток, расположенных вокруг топологического дефекта (см. рис. 1.3), то для них параметр *a* не остается фиксированным на определенном уровне, а продолжает медленно увеличиваться). Следует полагать, что средний размер основных ячеек структуры хорошо коррелирует с размером граничной ячейки (на любом этапе укрупнения всех структурных элементов нашей двумерной структуры), поскольку этот размер соответствует промежуточному значению между размером квадратной ячейки (до искривления фронта границы) и размером ячейки последнего слоя (этот слой расположен на половине расстояния между соседними параллельно ориентированными или симметричными топологическими дефектами).

Приведем выражение (1.23) к интегральному виду, (с указанием необходимых пределов)

$$\int_{r_0}^{r} \frac{r \, dr}{r^2 - ar + b^2} = \frac{m\varepsilon}{b^2} \int_{0}^{\tau} d\tau \,, \quad (1.24)$$

где r_0 - начальное значение радиуса кривизны дуги клетка-тетрагон; *a* и *b* - некоторые средние размерные характеристики клеток во временном интервале роста, контактирующих вдоль линии фронта реакции (трапециевидной и топологически дефектной).

После частичного интегрирования (1.24) получаем общее решение уравнения роста для двумерных ячеек в неявном виде

$$\ln\frac{r^2 - ar + b^2}{r_0^2 - ar_0 + b^2} + \int_{r_0}^{r}\frac{a\,dr}{r^2 - ar + b^2} = \frac{2m\varepsilon}{b^2}\tau. \qquad (1.25)$$

Если граничный фронт не искривлен, то $R = R_0 = \infty$ и $r^2 - ar \cong r_0^2 - ar_0 \cong 0$ ($r \cong a$, $r_0 \cong a_0$). Тогда уравнение (1.25) переходит в более простое выражение вида

$$\int_{r_0}^{r} r\,dr = \int_{a_0}^{a} a\,da = 2m\varepsilon\tau, \quad (1.26)$$

где a - текущий размер плоской тетрагональной ячейки.

Это уравнение по форме соответствует уравнению, полученному в стандартном феноменологическом описании процесса роста [3], когда предполагается, что все зерна-ячейки имеют одинаковый размер и форму (чаще всего ситуацию упрощают до зерен-сфер (или ячеек-окружностей), допуская при этом, что радиус кривизны границы раздела определяет не только размер зерна (ячейки), но и величину движущей силы процесса роста структурных элементов). Решение уравнения (1.26) дает параболический закон роста ячеек

$$r^2 - r_0^2 = a^2 - a_0^2 = 4m\varepsilon\tau \qquad (1.27,\text{a})$$

или зерна (для объемной версии структуры)

$$r^2 - r_0^2 = a^2 - a_0^2 = 8m\gamma\tau, \quad (1.27,\text{b})$$

что полностью совпадает с результатом упрощенного анализа процесса роста ячеек зерен, который обычно приводится в научных монографиях (см., например,[3, 5]) и учебной литературе.

Отметим одно важное обстоятельство, касающееся некоторых особенностей принятого многими авторами подхода к описанию поведения зеренной структуры во времени. Во-первых, при теоретическом рассмотрении процесса огрубления зерен (или ячеек) топологически дефектные зерна (ячейки) обычно специально не выделяются (как активные центры роста). Считается, что укрупнение элементов структуры происходит как бы само собой под действием потенциальных движущих сил (при полном сохранении исходной равновесной конфигурации общего фронта границы). Так, например, параболический закон роста радиуса кривизны границ (1.27, б) на самом деле описывает изменение размеров всех сфер-зерен одновременно (r выступает здесь уже как размерный параметр), то есть фактически является законом-тенденцией увеличения любого зерна структуры во времени. Казалось бы, такое рассмотрение очень примитивно и не может иметь никакой ценности, кроме узко теоретической. Однако если перейти от конкретных значений переменных к их средним характеристикам, то модельную систему из одинаковых зерен или ячеек можно рассматривать как усредненный аналог некоторой реальной (однотипной) структурной картины, и в этом случае анализ поведения подобной модели во времени уже может представлять определенный, а не только теоретический интерес. Поэтому в дальнейшем мы будем говорить только об изменении средних размеров (за исключением отдельных деталей) зерен (ячеек), хотя исходные модели двумерной (трехмерной) структуры достаточно сложны, поскольку включают в свой структурный арсенал такие элементы реальности, как различные типы топологических дефектов с реальными движущими силами для их граничных сегментов.

Итак, при последующем анализе общего уравнения (1.23), (решение в виде (1.25)), мы, как и в классическом подходе, будем предполагать, что изменение r (в терминах тенденции) достаточно хорошо коррелирует с изменением средних размеров клеток во времени. Для этого, конечно, необходимо потребовать, чтобы функционирование уравнения-связки, а следовательно, и всех конечномерных уравнений, происходило в условиях сохранения формы топологических дефектов. Кроме того, для обеспечения однотипности и одновременно заданного уровня равномерности структуры, наряду с ростом нормальных квадратных ячеек (увеличение r как раз и характеризует рост таких ячеек, но уже как усредненных элементов реальной структурной модели), необходимо предусмотреть пропорциональное увеличение трапециевидных ячеек, входящих в состав "ожерелья", и собственно топологически дефектных ячеек, инициирующих процесс роста. Совершенно очевидно, что однородность структуры может поддерживаться только в определенном временном интервале, когда количество топологических дефектов-центров роста поддерживается на некотором постоянном уровне. Контуры в виде пунктирных линий увеличенной (по сравнению с исходной) квадратной ячейки, усредненной по двумерному пространству (рис. 1.5), и конкретной ячейки "ожерелья" в форме трапеции (рис. 1.6 и 1.7) определяют новое большее значение радиуса кривизны r (r' на обоих рисунках) через определенный промежуток времени.

И, наконец, последнее, о чем также следует сказать. Наш подход к установлению в аналитической форме определенной тенденции в изменении во времени средних характеристик рассматриваемой структуры (в виде $\bar{r}$ или $\bar{a}$) вовсе не подразумевает (за исключением одного частного случая роста топологического дефекта в виде пластины, уже проанализированного выше) анализа каких-либо деталей механизма роста клетки (механизм роста определяется миграцией граничных сегментов и стыков), поскольку начальная (равновесная) конфигурация фронта реакционной границы обязательно меняется в процессе роста (при миграции условие $\theta = 120°$ не выполняется). Рассмотрение деталей механизма роста в рамках нашего подхода невозможно из-за того, что второе и третье уравнения группы (1.17) работают только при выполнении упомянутого контактного условия. Таким образом, другого подхода к описанию процесса укрупнения структуры для выбранных моделей просто не существует, а их математическое обеспечение (уравнения группы (1.17)) просто не существует.

Посмотрим теперь, во что превращается общее решение (1.25), если структура достаточно однородна. Пусть несоответствие линейных размеров ячеек в виде искаженных четырехугольников (трапеций) и ячеек с дефектами типа эллипса (центра роста) равно

полутора. В этом случае выполняются следующие соотношения: ;
$r_0 \cong a/2$ $a = \sqrt{2}b$ и $b^2 - a^2/4 = a^2/4 > 0$.

Тогда интегральное выражение в левой части уравнения (1.25) можно свести к виду

$$\int_{r_0}^{r} \frac{a\,dr}{r^2 - ar + b^2} = a\int_{r}^{r} \frac{d\left(r - \dfrac{a}{2}\right)}{\left(r - \dfrac{a}{2}\right)^2 + \dfrac{a^2}{4r}} = 2\,arctg\,\dfrac{r - \dfrac{a}{2}}{\dfrac{a}{2}}\Bigg|_{r_0}^{r} =$$

$$= 2\,arctg\,\frac{r - r_0}{2} \cong 2\left[\frac{r - r_0}{r_0} - \frac{1}{3}\left(\frac{r - r_0}{r_0}\right)^3 + ...\right]$$

Мы ограничимся линейным членом разложения этой функции, отбросив остальные как величины высоких порядков малости. Для этого необходимо рассматривать только узкие интервалы изменения r, причем такие, что хотя $r > r_0$, но $\dfrac{r - r_0}{r_0} < 1$. После выполнения замены с использованием приведенных выше соотношений общее решение уравнения (1.25) приобретает более компактный вид[20]

$$\ln\frac{r^2 - 2rr_0 + 2r_0^2}{r_0^2} + 2\left(\frac{r}{r_0} - 1\right) \cong \frac{m\varepsilon\tau}{r_0^2}. \qquad (1.28)$$

Для трехмерной версии структуры, по аналогии с предыдущими случаями (см. раздел 1.1, [1]), где использовался метод отображения двумерного пространства и всех присущих ему уравнений на его трехмерный аналог, это решение несколько модифицирует свою правую часть

$$\ln\frac{r^2 - 2rr_0 + 2r_0^2}{r_0^2} + 2\left(\frac{r}{r_0} - 1\right) \cong \frac{m\gamma\tau}{r_0^2}, \quad (1.29)$$

где r - уже радиус сферического сегмента, а γ - энергия границы зерна (поверхностное натяжение).

Покажем, что оба приведенных логарифмических уравнения, которые можно интерпретировать как комплексные законы, описывающие поведение (рост) структурных элементов (клеток, зерен), вполне адекватно соответствуют изменению физической реальности во времени. Здесь мы остановимся только на удовлетворении уравнений (1.28) и (1.29) (вследствие постоянного уменьшения движущей силы) затухающему характеру процесса роста клеток и зерен (удовлетворение этих уравнений экспериментальным результатам будет рассмотрено ниже). Для этого необходимо, чтобы кривые вида $r = r(\tau)$ были выпуклыми вверх, т.е. характеризовались отрицательной кривизной $\left(d^2 r / d\tau^2 < 0\right)$. Покажем на примере уравнения (1.29), что это действительно имеет место. Требование отрицательной кривизны для любой "затухающей" функции превращается в свою противоположность, когда эта функция подвергается инверсии.

Легко видеть, что уравнение (1.29), решенное для τ, в точности является искомой обратной функцией. Действительно,

$$\frac{d\tau}{dr} = \frac{r_0^2}{m\gamma}\left\{\frac{\dfrac{1}{r_0}\left(\dfrac{r}{r_0}-1\right)}{\left[\left(\dfrac{r}{r_0}\right)^2 + 2\left(1-\dfrac{r}{r_0}\right)\right]} + \frac{1}{r_0}\right\}$$

и

$$\frac{d^2\tau}{dr^2} = \frac{1}{m\gamma}\frac{1-\left(\dfrac{r}{r_0}-1\right)^2}{\left[\left(\dfrac{r}{r_0}\right)^2 + 2\left(1-\dfrac{r}{r_0}\right)\right]^2} > 0, \ (1.30)$$

поскольку ранее мы приняли следующее ограничительное условие изменения: $\dfrac{r - r_0}{r_0} < 1$. (Таким образом, мы показали, что уравнение роста зерна (1.29) (как и уравнение роста клетки (1.28)) описывает затухающий процесс в заданном диапазоне радиусов кривизны r зерен (или клеток) граничных сегментов).

Если взять другой тип топологического дефекта - продолговатый шестиугольник, который служит признаком особо высокой степени однородности структуры, то соотношения, задающие конечный вид решения (1.25), будут уже несколько иными: $r_0 \cong a/2; \; a = \sqrt{3}b$ и $b^2 - a^2/4 \cong \dfrac{1}{12}a^2 > 0$.

Тогда, например, для трехмерной адекватной структурной модели, отличающейся столь же высоким уровнем структурной однородности (то есть фактически изомерной), общее решение (1.25) переходит в логарифмическое уравнение

$$\ln \frac{3r^2 - 6rr_0 + 4r_0^2}{r_0^2} + \sqrt{12}\left(\frac{r}{r_0} - 1\right) \cong \frac{3m\gamma\tau}{r_0^2} . \qquad (1.31)$$

Однако это уравнение менее удобно для практического использования (см. об этом следующий раздел), чем уравнение (1.29).

И, наконец, в рамках рассматриваемого круга вопросов полезно обсудить возможность пропорционального изменения размеров топологически дефектной клетки и окружающих ее нормальных клеток в заданном временном интервале, без чего невозможно поддержание одинакового уровня однородности структуры в процессе ее увеличения. Для этого необходимо показать, что соответствующее изменение двух радиусов кривизны (R и r) не только нарушает, но даже следует из уравнения-связки (1.25). Представим это уравнение в виде $R = \dfrac{b^2}{a - r}$. Кривая $R(r)$ может быть линеаризована в окрестности интересующей нас точки $r \cong \dfrac{a}{r}$

(топологические дефекты типа эллипса, инициирующие укрупнение относительно однородной структуры, дают $r \cong \dfrac{a}{2}$). Угловой коэффициент этого линеаризованного участка кривой находится из уравнения:

$$R'_r = \left.\frac{b^2}{(a-r)^2}\right|_{r=a/2} = 4\left(\frac{b}{a}\right)^2 . \ (1.32)$$

Для практически однородной структуры мы имеем $a = \sqrt{2}b$ и, следовательно, $R'_r = 2$. Тогда получаем $R(\tau) \cong 2r(\tau) + C$. Поскольку соотношение $r_0 / R_0 = 1/2 \ (R_0 = R(\tau))$ справедливо для $r_0 \cong a/2$ и $a = \sqrt{2}b$, мы можем записать $R(\tau_0) \cong R(\tau_0) + C$, откуда $C \cong 0$ и, наконец.

$$R(\tau) \cong 2r(\tau). \tag{1.33}$$

Таким образом, по существу доказана пропорциональность изменения обоих радиусов кривизны в некотором достаточно узком интервале. Обобщая все вышесказанное, легко прийти к выводу о необходимости обсуждения структурных изменений, вызванных микроскопическим ростом зерен в однофазной среде (металлы и гомогенные сплавы), с точки зрения эволюционной трансформации моделей зеренной структуры (в направлении ее "выравнивания") и эволюции самих законов роста. При обсуждении макроскопического роста зерен намеренно опускались такие детали роста, как "поедание" зерна за зерном, переходы (линейные отрезки или участки) от одних точек фиксации (краев) к другим, а также "тонкости" механизма миграции. Проведенное нами усреднение характеристик касалось как угловой разориентации границ и их энергетических параметров, так и поведения всей группы структурных элементов, составляющих основу выбранной модели зерновой или ячеистой структуры (чисто термодинамический подход). Поэтому, говоря об эволюции структуры в процессе роста (на примере иллюстративных моделей, имитирующих поведение того или иного типа структурной реальности), следует говорить о постепенной смене практически конечных структурных состояний, не рассматривая различные промежуточные варианты, которые не учитываются выбранными моделями структур, а, следовательно, и уравнениями (законами) их размерных модификаций.

С точки зрения этого подхода, эволюция моделей (и законов роста) во времени укладывается в определенную последовательность структурных состояний (и уравнений, описывающих их поведение), плавно переходящих одно в другое после завершения очередного этапа роста элементов структурной модели.

Рассмотрим такой перманентный переход (перерождение) на примере рассмотренной выше двумерной модели. Если структура содержит достаточно большое число статистически равномерно распределенных многосегментных (т.е. очень крупных) ячеек типа эллипса, то такую структуру следует отнести к "пестрым" структурам, для которых хорошо выполняется (доминирует) параболический закон укрупнения ячеек (радиус R сравнивается с r как очень большой). На следующей стадии роста среднее удельное число топологических дефектов сохраняется, но количество их активных сегментов уменьшается (при этом отношение R/r также уменьшается, хотя величина R может оказаться более значительной, чем на предыдущей стадии роста). Постепенно структура становится почти однородной, а число активных сторон (сегментов) в дефектных эллиптических клетках уменьшается до восьми (при этом $R/r = 2$). Закон роста ячеек становится чисто логарифмическим и описывается уравнением (1.28).

При переходе к структуре, близкой к предельно однородной $(R/r = 4/3)$, топологически дефектная клетка превращается в эллиптический шестиугольник, а закон роста нормальных клеток продолжает оставаться фактически логарифмическим, хотя и несколько меняет свой аналитический вид (уравнение (1.31)). Теоретически процесс роста клетки заканчивается созданием двумерной гексагональной структуры (за счет предварительного устранения эллипсоидности в дефектных шестиугольниках в результате их превращения в равнобокие гексагональные ячейки с изогнутыми сторонами (сегментами)). Такие активные ячейки способны довести процесс роста до стадии, когда ячейки-тетрагоны полностью исчезают, а сегменты шестиугольника приобретают нулевую кривизну). Для такой структуры $R/r = 1$, и сама она соответствует промежуточному метастабильному состоянию, которое легко устраняется различными возмущениями (флуктуационного характера для реальных систем), приводящими к образованию новых топологически дефектных ячеек (центров роста) в различных микрообластях двумерного пространства. Все эти этапы можно четко проследить математически с установлением конкретного закона роста для очередного временного интервала, если варьировать соотношение r/R (от 0 до 1) и в каждом таком интервале выбирать соответствующее соотношение a/b (постоянное на всем интервале).

Покажем теперь, что полученные теоретические оценки хорошо согласуются с экспериментальными результатами. Для этого преобразуем выражение (1.29) к виду

$$\left(\frac{r}{r_0}\right)^2 - 2\left(\frac{r}{r_0} - 1\right) = \exp\left[\frac{2m\gamma\tau}{r_0^2} - 2\left(\frac{r}{r_0} - 1\right)\right] \qquad (1.34)$$

и рассмотрим несколько узкий интервал изменения r (в случае очень крупного зерна время прохождения радиуса r через этот интервал будет очень заметным), такой, что r/r_0 будет лишь немного больше единицы (т.е. r не сильно превышает r_0 , поэтому разность $r/r_0 - 1$ немного больше нуля). Отбросив члены $2\left(\frac{r}{r_0} - 1\right)$ в обеих частях полученного выражения (это, конечно, приводит к некоторому "ухудшению" формы кривой роста), мы сразу получаем

$$r^2 \cong r_0^2 \exp\left(\frac{2m\gamma\tau}{r_0^2}\right) , \quad (1.35)$$

откуда следует (после извлечения квадратного корня из обеих частей уравнения) экспоненциальный закон роста зерна во времени [16, 21].

$$r = r_0 \exp\left(\frac{m\gamma\tau}{r_0^2}\right) \, . \, (1.36)$$

Заменив $r = a^*$ и $r_0 = a_0^*$, получим уравнение роста кубических зерен

$$a^* \cong a_0^* \exp\left[\frac{m\gamma\tau}{\left(a_0^*\right)^2}\right] \, . \, (1.37)$$

где a^* - уменьшенный текущий размер кубического зерна, равный половине его грани; a_0^* - начальный уменьшенный размер зерна $(r_0 = a_0^* = a/2)$.

Некоторая приближенность экспоненциального закона роста зерен к форме (1.36) с практической точки зрения является его полезной особенностью, так как позволяет быстро определить момент времени, когда закон начинает действовать (экспериментальные графические зависимости $\ln a^* - \tau$ (или $\lg S/V - \tau$), начиная с этого момента, легко линеаризуются), и тем самым дает возможность выделить при разных температурах стадии роста, которые практически подчиняются экспоненциальному закону этого типа (рис. 1.9-1.11) [16].

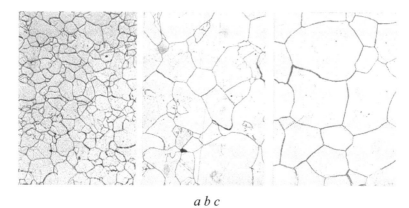

a b c

Рисунок 1.9 - Микроструктура высокочистого никеля (99,9999%) после отжига при температуре 600° C в течение 4 мин (*а*), 10 мин (*б*), 180 мин (почти равноосный вариант с топологически дефектными зернами) (*в*); ×115

Рисунки 1.10 и 1.11 отражают рост зерен в бинарных системах на основе высокочистых никеля и железа в соответствии с законом $a^* \cong a_0^* \exp(k\tau)$, где k - "крутизна" экспоненты.

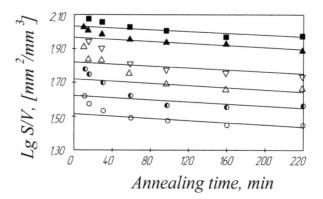

Рисунок 1.10 - Временные зависимости логарифма удельной поверхности границ зерен (отжиг 580ºC) для: О— чистого никеля (99,9999%); ◑ - никеля и 0,4· 10^{-4} ат. доли циркония; Δ— никель и 0,8· 10^{-4} при. доли циркония; ∇— никель и 2,0· 10^{-4} при. доли циркония;

▲ – никель и 0,4· 10^{-4} при. доли рения; ■– никель и 2,0· 10^{-4} при. доли рения.

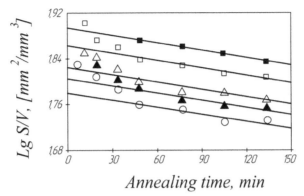

Рисунок 1.11 - Временные зависимости логарифма удельной поверхности границ зерен (отжиг 580ºС) для: ○– чистого железа (99,9980%); ▲ – железа и 0,8·10^{-4} ат. доли рения; ■– железа и 60,0·10^{-4} при. доли рения; △– железа и 0,8·10^{-4} при. доли циркония; □– железа и 30,0·10^{-4} при. доли циркония.

В завершение этого раздела стоит обратить внимание еще на один интересный момент. В литературе отмечается (см., например,[21]), что, несмотря на некоторый примитивизм феноменологического подхода к рассмотрению процесса огрубления зерен (ячеек) во времени, параболический закон роста (1.19), получаемый в результате решения простейшего дифференциального уравнения (1.18), иногда выполняется (чаще всего в системах высокой чистоты[21]). Одной из причин этого может быть просто хорошая выполнимость экспоненциального закона, рассмотренного здесь, особенно если изомерные зерна структуры достаточно велики (рис. 1.9, в). Параболический закон в такой ситуации выступает просто как производная более точного экспоненциального или логарифмического закона (который лежит в основе приближенного экспоненциального закона).

1.3 Теоретическое обоснование приближенных разновидностей логарифмического закона роста крупных изомерных зерен и частных случаев миграции границ зерен [22].

1.3.1 Теоретическое обоснование и экспериментальная проверка приближенного экспоненциального роста крупных изомерных зерен

В работах [14, 21, 23] были представлены экспериментальные результаты по исследованию роста зерен в высокочистых никеле и железе, а также чистых (по отношению к посторонним примесям) микролегированных системах, полученных на основе этих металлов. Построение зависимостей изменения приведенного (статистически усредненного) размера зерна от времени в полулогарифмических координатах показало, что, начиная с определенного момента времени, логарифмы приведенных размеров, установленные по экспериментальным оценкам удельных поверхностей границ зерен, хорошо ложатся на прямые линии (рис. 1.11). Такой момент всегда наступал, когда растущее зерно достигало достаточно большого размера. В этом случае рост крупного зерна однородной металлической системы во времени может быть описан с помощью следующей аналитической функции, аппроксимирующей реальный физический процесс (см. раздел 1.2, [14]):

$$a \cong a_0 \exp(k\tau) \ , \ (1.38)$$

где a - текущий уменьшенный размер зерна, равный половине его среднего "диаметра", a_0 - начальный уменьшенный размер, равный половине среднего значения, определенного аналитическим методом "диаметра"; k - некоторая положительная константа ("крутизна" экспоненты), физический смысл которой будет ясен из того, что будет сказано ниже; τ - время.

Поскольку, как показал эксперимент, все зависимости типа $\ln a = \ln a_0 + k\tau$ (т.е. прямые линии в системе $\ln a - \tau$) имели крайне малый наклон относительно оси τ (из-за крайне медленного роста изомерных крупных зерен), экспонента $k\tau$ в экспоненциальном выражении (1.38) очень мала ( ). $k\tau \ll 1$

Тогда выражение (1.38) можно разложить в степенной ряд и ограничиться его линейным членом. Для удобства сравнения полученного результата с другими уравнениями роста, используемыми в литературе, обе части этого выражения сначала возводятся в квадрат. После разложения в ряд получаем по существу квадратичный закон роста зерна в виде

$$a^2 - a_0^2 \cong 2a_0^2\tau . \qquad (1.39,\ а)$$

Для выяснения физической сущности коэффициента k мы используем метод "конструирования" функции [24], основанный на выделении линейных эффектов функций, отличающихся степенью приближения к точному закону и описывающих один и тот же физический процесс (если различие в форме функций связано только с эффектами второго и более высоких порядков малости, то линейные эффекты не должны отличаться друг от друга). После сравнения уравнения роста (1.39, а) с аналогичным и хорошо известным параболическим уравнением, которое, в соответствии с принятой здесь семантической интерпретацией размера зерна, имеет вид

$$a^2 - a_0^2 = 2m\gamma\tau , \quad (1.39,\ b)$$

мы обнаруживаем, что их правые стороны - это именно то, что нас интересует, тождественно равные (по смыслу) линейные эффекты. Используя их равенство, мы получаем нужное соотношение для "крутизны" экспоненты

$$k = m\gamma / a_0^2 . \quad (1.40)$$

Теперь уравнение (1.38) преобразуется в полностью законченное по форме (и ясное по своей физической сути) экспоненциальное выражение:

$$a \cong a_0 \exp\left(\frac{m\gamma\tau}{a_0^2}\right). \text{ (1.41)}$$

Закон роста в форме (1.41) также относится к категории приближенных функций. И не только потому, что для его получения использовался метод математической аппроксимации экспериментальных данных. Приближенность этого закона определяется прежде всего тем, что $\frac{d^2 a}{d\tau^2} > 0$ для него истинно, а не наоборот (т.е. меньше нуля), поскольку процесс роста зерен затухает по своей природе.

Однако это обстоятельство не умаляет практической значимости уравнения (1.41), особенно в плане его использования для совершенствования методов определения некоторых важных характеристик, связанных с ростом зерна (например, энергии активации этого процесса).

Покажем, что это по сути "сконструированное" уравнение, имеющее хорошее экспериментальное обоснование, может быть легко получено в окончательном виде с помощью уже имеющейся модификации решения дифференциального уравнения для роста тетрагонных ячеек в случае двумерной структурной модели (с поправкой на трехмерный вариант), в которой оно также содержит определенный тип топологических дефектов (1.34)

$$\left(\frac{r}{r_0}\right)^2 - 2\left(\frac{r}{r_0} - 1\right) = \exp\left[\frac{2m\gamma\tau}{r_0^2} - 2\left(\frac{r}{r_0} - 1\right)\right] . $$ В этом случае мы

рассматриваем настолько узкий интервал изменения r (в случае очень крупного зерна время прохождения радиуса r через этот интервал будет очень заметным), что r/r_0 будет немного больше единицы (т.е. r лишь очень незначительно превышает r_0) и, следовательно, $\dfrac{r}{r_0} - 1 \cong 0$. Отбросив члены вида $2\left(\dfrac{r}{r_0} - 1\right)$ в обеих частях полученного выражения (это, конечно, приводит к некоторому "ухудшению" формы кривой роста), мы сразу же получим выражение (1.35) $r^2 \cong r_0^2 \exp\left(\dfrac{2m\gamma\tau}{r_0^2}\right)$, из которого следует экспоненциальный закон изменения радиуса каждого участка фронта роста во времени (1.36) $r = r_0 \exp\left(\dfrac{m\gamma\tau}{r_0^2}\right)$.

Заменив r на a^* , а r_0 на a_0^* , получим уравнение для роста кубических зерен (1.37) $a^* = a_0^* \exp\left[\dfrac{m\gamma\tau}{\left(a_0^*\right)^2}\right]$, которое в точности соответствует формуле (1.41) по форме. Здесь a^* - уменьшенный текущий размер кубического зерна, равный половине его грани; a_0^* - соответственно, начальный уменьшенный размер зерна $(\text{r}_0 = a_0^* = \overline{a}/2)$.

Таким образом, как достаточно строгий аналитический вывод закона роста клеток (зерен), основанный на использовании конкретной двумерной (трехмерной) модели структуры, так и метод построения аналогичной функции, основанный на чисто экспериментальных данных, приводят нас к совершенно одинаковому математическому результату, что еще раз подчеркивает правильность исходных теоретических предположений, лежащих в основе развиваемого в данной работе подхода к анализу процессов роста клеток или зерен. Некоторая приближенность экспоненциального закона роста зерен в виде (1.41) с практической точки зрения является его полезной особенностью, так как позволяет быстро определить момент времени, когда этот закон начинает действовать (экспериментальные графические зависимости $\ln a - \tau$, начиная с этого момента, легко линеаризуются), и тем самым выделить при разных температурах стадии роста, которые практически подчиняются экспоненциальному закону такого типа.

Стоит обратить внимание еще на один интересный момент. В литературе отмечается (см., например, 5[]), что параболический закон роста (1.39, а), полученный в результате решения простейшего дифференциального уравнения, иногда выполняется (чаще всего в высокочистых системах). Одной из причин этого может быть просто хорошая выполнимость экспоненциального закона, обсуждаемого здесь; особенно если изомерные зерна структуры достаточно велики. Параболический закон в такой ситуации просто выступает в качестве производной формы более точного экспоненциального или логарифмического закона (основополагающие принципы приближенного экспоненциального закона).

Действительно, для большого значения r_0 , экспонента в формуле (1.35) на относительно коротком временном интервале (как показывает эксперимент, это могут быть минуты и даже десятки минут) становится настолько малой, что экспоненциальный член уравнения роста может быть разложен в ряд по степеням этого показателя. Отбросив все малые (по сравнению с линейными) члены ряда, получаем

$$r^2 \cong r_0^2 \left(1 + \frac{2m\gamma\tau}{r_0^2} \right), \text{ (1.42)}$$

откуда сразу следует квадратичный закон роста

$$\left. \begin{array}{l} r^2 - r_0^2 \cong 2m\gamma\tau \\ a^2 - a_0^2 = 8m\gamma\tau \end{array} \right\}, \text{ (1.43)}$$

где a и a_0 - соответственно текущий и начальный размеры высоты искаженного граничного зерна (как усеченной тетрагональной пирамиды трехмерной кубической модели структуры).

Отметим, что из общего уравнения роста (1.34) можно получить и более строгое выражение для закона роста зерна (чем формула (1.36)), содержащее экспоненциальный член. Для этого мы пренебрежем лишь вторым малым членом в экспоненте приведенного уравнения, что мало повлияет на точность его решения относительно радиуса r. При этом сохранится и правильная тенденция изменения r во времени, что соответствует реальной физической картине (рост r будет затухающим по своей природе). В результате указанное уравнение превращается в уравнение вида

$$\left(\frac{r}{r_0}\right)^2 - 2\frac{r}{r_0} + 2 - \exp\left(\frac{2m\gamma\tau}{r_0^2}\right) \cong 0, \quad (1.44)$$

где мы получаем

$$\frac{r}{r_0} \cong 1 + \sqrt{\exp\left(\frac{2m\gamma\tau}{r_0^2}\right) - 1} \quad (1.45)$$

(второй корень не имеет физического значения, так как). $r > r_0$

Легко видеть, что $v(\tau) = dr/d\tau$ в этом случае является убывающей функцией. Далее, на сайте $2m\gamma\tau/r_0^2 \ll 1$ (крупные зерна), мы получаем зависимость для r

$$r \cong r_0 + c\sqrt{\tau} \quad ; (c = \sqrt{2m\gamma}) \quad , \quad (1.46)$$

что явно указывает на затухающий характер роста зерна со временем.

Экспоненциальный закон роста зерен в случае практически однородной структуры ($a = b\sqrt{2}$), как мы уже видели, имеет очень компактный вид (уравнение (1.36)). Несомненно, что при переходе к структуре, близкой к предельной однородной $a = b\sqrt{3}$, можно найти и свой приближенный экспоненциальный закон, опять же используя основное логарифмическое уравнение (1.31). Получение соответствующего аналитического выражения также представляет определенный интерес, хотя бы с точки зрения оценки степени его компактности и удобства для чисто практического использования. Если предположить, что при крайне медленном росте r несколько больше r_0 (т.е. $r/r_0 \cong 1$), то из основного уравнения сразу получаем

$$3\left(\frac{r}{r_0}\right)^2 - 2 \cong \exp\left(\frac{3m\gamma\tau}{r_0^2}\right), \quad (1.47)$$

где мы получаем

$$r^2 \cong \frac{1}{3}r_0^2\left[\exp\left(\frac{3m\gamma\tau}{r_0^2}\right) + 2\right]. \quad (1.48)$$

Совершенно очевидно, что последнее уравнение с любой точки зрения менее удобно, чем уравнение (1.35). Однако заметим, что и в этом случае можно перейти к квадратичному закону роста (причем на большом интервале времени из-за очень медленного роста зерна), поскольку при очень крупном зерне отношение $3m\gamma\tau/r_0^2$ будет меньше единицы очень долгое время.

Действительно, разложив экспоненциальный член выражения (1.48) в ряд (по степеням экспоненты), мы имеем

$$r^2 \cong \frac{1}{3}r_0^2\left(3 + \frac{3m\gamma\tau}{r_0^2}\right) \cong r_0^2\left(1 + \frac{m\gamma\tau}{r_0^2}\right) \quad (1.49)$$

или

$$r^2 - r_0^2 \cong m\gamma\tau. \quad (1.50)$$

Используя (1.49), можно снова вернуться к удобной экспоненциальной форме закона роста зерен, но уже несколько отличной по форме от выражения (1.35)

$$r^2 \cong r_0^2 \exp\left(\frac{m\gamma\tau}{r_0^2}\right).$$ (1.51)

1.3.2 Обратный ("отрицательный") рост зерна

Мы рассмотрим подобный процесс на примере дефектной тетрагональной ячейки (рис. 1.4). Поскольку этот тип топологического дефекта не относится к категории "эллиптических" ячеек, уравнение-связка вида $r \cong a - \dfrac{b^2}{R}$ (1.17) здесь, естественно, не работает. Однако для равноосных дефектных ячеек всегда будет $R = b$, и это позволяет найти нужное соотношение между линейными параметрами a и b. Напишем выражение для результирующей кривизны, заменив базовый радиус R линейным параметром b

$$\left(r^*\right)^{-1} \cong \frac{R-r}{Rr} = \frac{b-r}{br} < 0 \ .$$ (1.52)

Поскольку в этом случае $r \cong a/2$ (ячейки, окружающие топологический дефект, продолжают оставаться трапециевидными), то при $\left(r *\right)^{-1} = 0$ (граничные сегменты имеют прямолинейную форму) $b = r = a/2$, т.е. $a = 2b$ (условие строго изомерной структуры). Когда это соотношение выполняется (чисто гипотетический случай), тетрагональная ячейка перестает быть дефектной и превращается в обычную ячейку, окруженную четырьмя такими же тетрагональными ячейками.

Прежде всего отметим, что для топологических дефектов с малым (менее шести) числом сторон отношение r/R уже превышает единицу. Далее рассмотрим локальную (во времени) структурную ситуацию, в которой $r/R = 3/2$ (симметричный антипод случая, когда $r/R = 1/2$ и топологический дефект имеют форму искаженного дидрагона). Тогда $r^* \cong -3R = -3b$ и, поскольку $r \cong \dfrac{r^* R}{r^* + R}$, то $\dfrac{a}{2} \cong \dfrac{-3b^2}{b-3b} = \dfrac{3}{2}b$ и $a \cong 3b$. Мы также предполагаем, что полученное соотношение размерных параметров практически сохраняется на некотором малом временном интервале (т.е. изменение размеров всех контактирующих ячеек группы роста протекает последовательно и достаточно медленно), а сами a и b имеют смысл начальных параметров, соответствующих "стартовой позиции" изменяющейся структурной картины.

Составим теперь дифференциальное уравнение роста, снова ориентируясь на поведение во времени радиуса кривизны любого из исходных сегментов, существовавших до искривления граничного фронта, который образовал топологически дефектную ячейку и превратил четыре тетрагональные ячейки в "ожерелье" из трапециевидных ячеек (рис. 1.4). Только, в отличие от рассмотренных ранее случаев (см. раздел 1.2), такой рост должен сопровождаться уменьшением всех трех радиусов кривизны (в условии (1.52)) и, следовательно, параметра b дефектной ячейки ("отрицательный" рост), что в конечном итоге может привести к ее полному уничтожению. Используя основные соотношения (1.17) и соотношение (1.52), получим следующее выражение для уравнения отрицательного роста клетки:

$$\frac{dr}{d\tau} \cong m\varepsilon \frac{b-r}{br}. \qquad (1.53)$$

где m - средняя микроскопическая подвижность мигрирующего сегмента границы, а ε - его удельная энергия.

Далее, после преобразований и установки пределов интегрирования, уравнение роста принимает вид

$$\int_{r_0}^{r} \frac{r\,dr}{r-b} \cong -\frac{m\varepsilon}{b} \int_{0}^{\tau} d\tau \ , (1.54)$$

где r_0 - начальный радиус граничного сегмента тетрагональной ячейки.

Поскольку $\int_{r_0}^{r} \frac{r\,dr}{r-b} = r - r_0 + b \ln \frac{r-b}{r_0-b}$, , то решение дифференциального уравнения (1.53) соответствует логарифмической зависимости

$$\ln \frac{r-b}{r_0-b} + \frac{r-r_0}{b} \cong -\frac{m\varepsilon\tau}{b^2}. \qquad (1.55)$$

Для $b \cong a/3$ и $r_0 \cong a/2$ мы получим $0 < r_0 - b \cong \frac{a}{2} - \frac{a}{3} \cong \frac{r_0}{3}$.

Теперь решение (1.55) можно заменить следующим рабочим выражением:

$$r \cong \frac{1}{3} r_0 \left\{ \exp\left[-\frac{9m\varepsilon\tau}{a^2} - \frac{3(r-r_0)}{a} \right] + 2 \right\}. \qquad (1.56)$$

Для достаточно больших a и сравнимых r и r_0 это выражение упрощается до вида

$$r \cong \frac{1}{3} r_0 \left[\exp\left(-\frac{9m\varepsilon\tau}{4r_0^2} \right) + 2 \right], (1.57)$$

откуда мы получаем для $(9m\varepsilon\tau)/(4r_0)^2 \ll 1$

$$r = r_0 \left(1 - \frac{3}{4} \frac{m\varepsilon\tau}{r_0^2} \right) \cong r_0 \exp\left(-\frac{3}{4} \frac{m\varepsilon\tau}{r_0^2} \right) \qquad (1.58)$$

(на последнем этапе преобразований был восстановлен более компактный экспоненциальный закон изменения r во времени).

Согласно уравнению (1.58), радиус r, как и следовало ожидать, уменьшается со временем. В этом случае, естественно, уменьшаются и остальные радиусы: R и r^*; кроме того, для сохранения отрицательного знака кривизны $(r)^{*-1}$ (необходимое условие исчезновения топологически дефектной ячейки) требуется, чтобы радиус R уменьшался не медленнее r. Поскольку $R \cong r / \left(1 - \dfrac{r}{r_0^*}\right)$ (см. соотношение (1.52)) и $r_0^* \cong -3b \cong 2r_0$, то для нашего случая сразу же получается сложный экспоненциальный закон уменьшения фактического размера дефектной ячейки в виде

$$R = r_0 \frac{1}{\exp\left(\dfrac{3}{4}\dfrac{m\varepsilon\tau}{r_0^2}\right) - \dfrac{1}{2}} \cong 2r_0 \left(1 - \frac{3}{2}\frac{m\varepsilon\tau}{r_0^2}\right) \qquad (1.59)$$

(r_0^* - начальный радиус кривизны граничного сегмента трапециевидной ячейки).

В этом случае, как нетрудно заметить, $\left(\dfrac{dr}{d\tau}\right)\Big/\left(\dfrac{dR}{d\tau}\right) \cong \dfrac{1}{4}$ и, соответственно, радиус кривизны фронта границы (R) на самом деле уменьшаются несколько быстрее, чем радиус кривизны участка границы (r).

Ранее, в разделе 1.2 [14], было показано, что в условиях практически однородной структуры топологические дефекты в виде двумерных эллиптических ячеек (oblate polygons) и окружающих их четырехугольников растут по приближенному экспоненциальному закону

$$R \cong 2r = 2r_0 \exp\left(\frac{\alpha m\varepsilon\tau}{r_0^2}\right), \; (1.60)$$

где α - коэффициент структурной однородности, зависящий от соотношения линейных размеров a и b (при $a = \sqrt{2}b$ имеем $\alpha = 1$, а при $a = \sqrt{3}b$, соответственно,). $\alpha = \dfrac{1}{2}$

Преобразование (1.59) к виду

$$R = 2r_0 \exp\left(-\frac{3}{2}\,\frac{m\varepsilon\tau}{r_0^2} \right) \tag{1.61}$$

(случай, когда r_0 мало), мы получаем соотношение, аналогичное (1.59), но только с отрицательным значением α в экспоненте экспоненциального множителя ( ). $\alpha = -1{,}5$

Таким образом, при анализе изменения топологических дефектов во времени легко прослеживается некая общая тенденция в поведении одинаковых по размеру дефектных ячеек: малосегментные ячейки исчезают быстрее, чем многосегментные увеличиваются в размерах.

1.4 Ориентированный рост однофазных и двухфазных структур колониального типа [25, 26]

В этом разделе мы чисто теоретически рассмотрим кинетику продольного параллельного роста различных структур колониального типа под действием постоянной движущей силы. Причем эта сила может иметь различную физическую природу, но в чисто термодинамическом плане она будет равна разности удельных значений объемной свободной энергии по обе стороны от фронта реакции. С образованием таких колоний можно столкнуться при изучении явлений кристаллизации или явлений, связанных с миграцией границ в однородной (структурно однородной на микроскопическом уровне) среде. Это, например, образование эвтектических колоний при кристаллизации многокомпонентной жидкости, колоний-ячеек в условиях скачкообразного разложения твердой матрицы и некоторые другие случаи, которые будут рассмотрены ниже.

Несмотря на ряд отличительных особенностей, различные процессы, приводящие к формированию колониальных ("столбчатых" или пластинчатых) структур, имеют и нечто общее, что позволяет рассматривать кинетику их роста с единых позиций. Это наличие переменной сдерживающей (противодействующей) силы совместного роста кристаллов, входящих в отдельную колониальную группу. Появление силы сопротивления связано с тем, что в поперечном сечении фронт границы любой такой колониальной группы состоит из выпуклых круговых сегментов постоянной или дискретно изменяющейся ширины, т.е. вдоль линии фронта кривизна границы все время отлична от нуля и не является непрерывной функцией радиуса ее кривизны.

Если рассматривать некую новообразованную колониальную группу как начальный составной эмбрион (в центре), готовый к последующему продольному росту (поперечный рост таких групп достаточно подробно описан в научной литературе), то движущая сила вдоль фронта роста будет либо оставаться постоянной, либо периодически менять свою величину. Оба случая будут подробно рассмотрены ниже.

Учитывая существование изменяющейся во времени сдерживающей силы (того же лапласовского давления), можно предположить, что колониальные структуры в сплавах (как и сфероидизированные гранулированные) формируются под действием переменной результирующей силы, что придает особый характер совместному, чаще всего параллельному, росту кристаллов одной или нескольких фаз [16].

В отличие от классического подхода Зенера и Хиллерта [27, 28], продольный рост колониальных кристаллов подразумевает последовательную реализацию двух режимов: нестационарного и стационарного. Последний режим характеризуется постоянством скорости роста всех кристаллов колониальной группы, поскольку кривизна отрезков граничного фронта, начиная с определенного момента времени, перестает меняться. Это связано с тем, что реальное движение с постоянной скоростью обусловлено не статическим балансом сил натяжения на стыках зерен (равновесные

64

конфигурации векторов натяжения характерны только для условных начальных положений), а динамическим балансом термодинамических сил, действующих как на стыки, так и на граничные сегменты фронта ориентированного роста.

1.4.1 Совместный рост группы пластинчатых зерен в однофазной среде

Сначала мы рассмотрим простейший случай, который, однако, имеет принципиальное значение, поскольку позволяет учесть основные закономерности в процессе роста колониальных групп и получить общую форму решения дифференциального уравнения роста, необходимую для анализа различных ситуаций. Речь идет о росте столбчатых колоний в однофазной среде (случай обычной рекристаллизации металла или однофазного сплава с избытком упругой свободной энергии).

На рис. 1.12 показана трехзеренная колония, которую мы примем за элементарную (по аналогии с эмбриональной колонией при двухфазной кристаллизации). Согласно рисунку, H - максимальная длина столбчатого зерна, L - его ширина, а h и r - максимальная высота и радиус любого сегмента фронта границы.

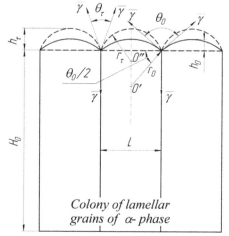

Matrix (α)
(deformed)

Colony of lamellar
grains of α- phase

Рисунок 1.12 - Схема трехзерновой однофазной колонии пластинчатого типа (двумерная модель), прорастающей в деформированное крупное зерно.

Пусть начальные условия роста соответствуют такой конфигурации граничного фронта, когда повсюду вдоль него выполняется условие $\theta = 120^0$ и, следовательно, $r_0 = L$ (r_0 - начальное значение радиуса кругового сегмента). В соответствии с этим же рисунком, θ - двугранный угол тройного соединения двух зерен колонии с "большим" зерном деформированной матрицы. Отметим, что такая конфигурация фронта границы колония-матрица будет устойчивой, если движущие и противодействующие (сдерживающие) силы миграции равны для каждого сегмента границы.

Согласно Люкке и Тернбуллу [3, 29], скорость продольного роста любой колонии в нестационарном режиме определяется выражением

$$\frac{dH}{d\tau} = \frac{dh}{d\tau} = m\left(P - \frac{2\gamma}{r}\right), \quad (1.62)$$

66

где m - подвижность участка границы; P - движущая сила роста; γ - удельная свободная энергия любой границы раздела ($2\gamma/r$ - контрдвижущая сила). Кроме того, $H = H_0 + h$, где H_0 - длина общего участка границы двух соседних столбчатых зерен (в условиях нестационарного процесса H_0 остается постоянной).

В этом режиме роста выражение (1.62) фактически характеризует скорость изменения высоты h кругового сегмента границы.

Легко видеть, что эта высота связана с радиусом граничного сегмента соотношением

$$h = r\left[1 - \sqrt{1 - \left(\frac{L}{2r}\right)^2}\right], \quad (1.63)$$

которое, благодаря тому, что $L/2r < 1$ (поскольку всегда $\theta > 0^0$, и $L/2r = \left|\cos\dfrac{\theta}{2}\right|$), можно заменить приближенным выражением

$$h_{(app)} \cong \frac{L^2}{8r}, \quad (1.64)$$

который получается путем разложения корня выражения (1.63) в биномиальный ряд и отбрасывания всех членов высших (начиная со второго) порядков малости, или по более корректной формуле

$$h = \alpha \frac{L^2}{8r}, \quad (1.65)$$

где α - корректирующий множитель, равный отношению истинного значения максимальной высоты h (соотношение (1,63)) к ее приближенной величине ($h_{(np)}$). После несложных преобразований приходим к следующей связи этого множителя с двухгранным углом θ: $\alpha = \dfrac{2}{1 + \sin\theta/2}$.

где α - поправочный множитель, равный отношению истинного значения максимальной высоты h (соотношение (1.63)) к ее приближенной величине ($h_{(np)}$). После несложных преобразований мы приходим к следующей связи этого коэффициента с двугранным углом θ: $\alpha = \dfrac{2}{1 + \sin \theta / 2}$.

Совершенно очевидно, что в подавляющем большинстве случаев этот множитель можно не использовать, поскольку в интересующих нас пределах изменения величины θ (например, от 120 до 80°) он мало отличается от единицы (в указанных пределах α = 1,1÷1,2).

Поскольку $h_{(np)} = -\dfrac{L^2}{8r^2}\,dr$, уравнение (1.63) можно привести к следующей дифференциальной форме:

$$\frac{dr}{d\tau} \cong \frac{br}{L^2}\left(1 - ar\right), \text{ (1.66)}$$

где $a = P/2\gamma$ и $b = 16m\gamma$.

Далее мы преобразуем это выражение к форме, удобной для интегрирования (в рамках $r_0 - r$ и)$0 - \tau$ $\displaystyle\int_{r_0}^{r} \frac{dr}{r(1 - ar)} \cong \frac{b}{L^2}\int_{0}^{\tau} d\tau$, из

которой $\dfrac{r}{1 - ar} = \dfrac{r_0}{1 - ar_0}\exp\left(\dfrac{b}{L^2}\tau\right)$.

Введя начальное условие $r_0 = L$ и подвергнув обе части этого равенства процедуре инверсии, получим решение дифференциального уравнения (1.66) в виде

$$r^{-1} \cong a + \left(\frac{1 - aL}{L}\right)\exp\left(-\frac{b}{L^2}\tau\right). \qquad (1.67)$$

Легко убедиться (в качестве проверки), что это решение удовлетворяет приведенному выше начальному условию. Действительно, поскольку в начальный момент времени ( )$\tau = 0$

$r = r_0$, то сразу из (1.67) получаем интересующее нас равенство $r_0 = L$. Другое граничное условие $\tau = \infty$ также соответствует вполне понятной физической картине, а именно: рост в бесконечно длинном нестационарном режиме носит затухающий характер и заканчивается полной остановкой всего процесса (стационарный рост кристаллов-колоний в этом случае не успевает начаться). Подставляя $\tau = \infty$ в (1.67), получаем $ar = 1$ (или $P = 2\gamma / r$), что свидетельствует о том, что в конечном итоге достигнут полный баланс движущих и противодействующих сил миграции центрального участка граничного сегмента (который был выбран в качестве удобной области для сравнения).

Обратим внимание на такой момент. Если при $\dfrac{L}{2} < r < L$ и $\theta <$ 120° обратить главную движущую силу в ноль ($P = 0$, и, следовательно, $a = 0$), то из (1.67) получим $r \cong L \exp\left(16m\gamma\tau / L^2\right)$.

Отсюда следует (для большого значения L и малого τ) параболический закон "сглаживания" фронта границы колонии в нестационарном режиме ее "негативности" роста (т.е. роста, при котором монокристаллическая матрица "съедает" колонии столбчатых зерен) в виде

$$r^2 - L^2 \cong 32m\gamma\tau \ . \ (1.68)$$

Мы уже анализировали общие случаи такого роста в [16].

Далее, исходя из приведенных выше формул, мы получаем уравнение, связывающее максимальную высоту граничного сегмента h с временем нестационарного роста τ

$$h = \frac{1}{8}\alpha L^2 \left[\frac{P}{2\gamma} + \left(\frac{1}{L} - \frac{P}{2\gamma}\right)\exp\left(-\frac{16m\gamma}{L^2}\tau\right)\right] \ . \ (1.69)$$

Для того чтобы процесс нестационарного роста столбчатой колонии зерен был затухающим, должно выполняться неравенство

$d^2h\big/d\tau^2 < 0$ (кривая процесса будет выпуклой вверх). Легко видеть, что это условие практически очевидно, если $1/L - P/2\gamma < 0$. Покажем, что последнее неравенство выполняется всегда. Перепишем его в виде $r^{-1}\left(\dfrac{r}{L} - \dfrac{P}{2\gamma}\right) < 0$. Из физического смысла рассматриваемой ситуации следует, что $r/L < 1$ (поскольку в процессе роста $2\gamma\cos\dfrac{\theta}{2} - \gamma > 0$, и $P/(2\gamma/r) > 1$) и поскольку $r > 0$, указанное неравенство можно считать доказанным.

Стационарный режим роста установится в тот момент, когда движущая сила перемещения стыков столбчатой колонии зерен станет равна движущей силе миграции передних сегментов этой колонии. Движущая сила перемещения стыков P_{junct} может быть оценена с помощью выражения

$$P_{junct} = \gamma\left(2\cos\frac{\theta}{2} - 1\right)\cdot\frac{1}{L}, \ (1.70)$$

где $1/L$ - число полос граничных переходов на единицу длины фронта колонии ("плотность" столбчатых кристаллитов), а γ имеет значение модуля вектора поверхностного натяжения.

Легко видеть, что в исходной ситуации, когда $\theta = 120^0$, будет $P_{junct} = 0$. Затем, по мере уменьшения угла θ, P_{junct} увеличивается, а результирующая движущая сила миграции $P_{res} = P - \dfrac{2\gamma}{r}$, наоборот, ослабевает, так как кривизна сегментов все время увеличивается. После достижения равенства $P_{juct} = P_{res}$ конфигурация граничного фронта перестает изменяться во времени, так как стыки зерен будут двигаться с той же скоростью, что и центральные части их головных сегментов (следовательно, сегменты перестают менять свой радиус, и процесс их движения в направлении, нормальном к граничному фронту, становится стационарным).

Определим теперь конечное (пороговое) значение радиуса граничного сегмента, при достижении которого характер процесса роста меняется (нестационарный продольный рост столбчатых зерен колонии сменяется стационарным). Воспользуемся для этого момента тождеством движущих сил в расширенном виде

$$P - \frac{2\gamma}{r_{th}} = \frac{\gamma}{L}\left(\frac{L}{r_{th}} - 1\right) . \quad (1.71)$$

Здесь мы использовали очевидное (рис. 1.12) соотношение $L/2r = \cos\theta/2$. Из (1.71) непосредственно следует интересующее нас выражение

$$r_{th} = \frac{3\gamma}{P + \dfrac{\gamma}{L}} . \quad (1.72)$$

Покажем, что эта формула сохраняет свой физический смысл только тогда, когда $P > \dfrac{2\gamma}{r}$. Поскольку в процессе роста $r < L$, то тем более $P > 2\gamma/L$ или $PL > 2\gamma$, а также $PL + \gamma > 3\gamma$. В результате получаем $r_{th} = L\dfrac{3\gamma}{PL + \gamma} < L$, что полностью соответствует физической картине рассматриваемого процесса. При достижении r_{th} двугранный угол θ становится заметно меньше 120° (потому что $r_{th} < L$) и больше не меняется. Конкретное значение угла θ для этого момента времени может быть установлено с помощью соотношения $\cos\dfrac{\theta}{2} = \dfrac{LP + \gamma}{6\gamma} > \dfrac{1}{2}$.

Если обратить P в ноль (случай роста крупного зерна с "плоским" граничным фронтом, поглощающим параллельно ориентированные гексаэдры [16]), то $\cos\dfrac{\theta}{2} = \dfrac{1}{6}$, и $\theta/2 = 80,4°$ (т.е. $\theta \cong$ 161°) и, следовательно, ситуация становится обратной (θ при переходе к стационарному режиму роста в этом случае не уменьшается, а увеличивается по сравнению с начальным, равновесным значением для состояния покоя).

Для случая стационарного процесса роста выражение (1.62) принимает вид

$$v_{st} = \frac{dh}{d\tau} = m\left(P - \frac{2\gamma}{r_{th}}\right) = \frac{1}{3}m\left(P - \frac{2\gamma}{L}\right) . \quad (1.73)$$

Таким образом, сдерживающая сила при стационарном росте прямо пропорциональна межзерновой энергии и плотности столбчатых кристаллов ($1/L$), что хорошо согласуется с термодинамическим аспектом этого процесса.

После интегрирования (1.73) получаем:

$$h = h_{nonst} + \frac{1}{3m}\left(P - \frac{2\gamma}{L}\right)(\tau - \tau_{th}), \quad (1.74)$$

где h_{nonst} - путь, пройденный центральным участком кругового граничного сегмента за время реализации нестационарного процесса роста; τ_{th} - пороговое время, по достижении которого происходит смена режима роста.

Подставив соотношение (1.72) в (1.67), можно аналитически оценить время τ_{th}. Действительно, из равенства $\frac{1}{r_{th}} = \frac{1}{3L} + \frac{2}{3}a = a + \left(\frac{1-aL}{L}\right)\exp\left(-\frac{b}{L^2}\tau_{th}\right)$ следует такое выражение $\frac{L\left(\frac{1}{3L} - \frac{1}{3}a\right)}{1-aL} = \exp\left(-\frac{b}{L^2}\tau_{th}\right)$ и, наконец,

$$\tau_{th} = \frac{L^2 \ln 3}{b} \approx \frac{L^2}{m\gamma} . \quad (1.75)$$

Таким образом, пороговое время зависит, прежде всего, от удельной зернограничной энергии γ и подвижности границы m (L, строго говоря, нельзя считать "жесткой" константой, так как в принципе она может иметь любое значение).

Физика рассматриваемого явления требует, чтобы изменение процесса роста происходило плавно (на кривой, изображающей весь процесс роста зерен колонии, не должно наблюдаться разрыва того или иного вида в точке τ_{th}). Показав это, мы тем самым еще раз подчеркиваем правильность подхода к решению задачи и корректность всех выведенных соотношений.

Кривые обоих процессов роста (кривые типа $h = h(\tau)$ плавно соединятся в точке τ_{th} только в том случае, если их угловые коэффициенты (мгновенные скорости) в этой точке совпадают ($k_{st} = k_{nonst}$)). Исходя из вышесказанного, имеем:

$$k_{nonst}(\tau_{th}) = \frac{dh_{nonst}}{d\tau} = -\frac{b}{8}\left(\frac{1-aL}{L}\right)\exp\left(-\frac{b}{L^2}\tau_{th}\right) \qquad \text{и}$$

$$k_{st}(\tau_{th}) = \frac{dh_{st}}{d\tau} = \frac{1}{3}m\left(P - \frac{2\gamma}{L}\right).$$

Чтобы доказать равенство этих угловых коэффициентов, достаточно преобразовать первое из приведенных выше выражений. Выполнив эту процедуру, мы получим

$$k_{nonst}(\tau_{th}) = -\frac{b}{8}\left(\frac{1-aL}{L}\right)\exp(-\ln 3) = -2m\gamma\frac{\left(1-\frac{P}{2\gamma}L\right)}{3L} = \frac{1}{3}m\left(P - \frac{2\gamma}{L}\right).$$

Завершая этот подраздел, целесообразно обсудить некоторые детали рассмотренного достаточно сложного механизма продольного роста столбчатых зерен колонии в однофазной среде. Прежде всего отметим, что выбор начала миграции сложнопрофильной границы раздела между колонией и остальной фазой несколько произволен (точка отсчета времени соответствует $\sum_{i=1}^{3}\bar{\gamma}_i = 0$ =В, с $|\bar{\gamma}_1| = |\bar{\gamma}_2| = |\bar{\gamma}_3| = \gamma_i$; и, соответственно, $\theta = 120°$, с $L = r_0$). Если γ_1 (γ_2) - удельная энергия (модуль напряженности) границы первого (второго) зерна / общей части матрицы; γ_3 - энергия (модуль напряженности) границы обоих соседних зерен, то условием миграции спая в направлении результирующей движущей силы роста является неравенство $\bar{\gamma}_1 + \bar{\gamma}_2 > \bar{\gamma}_3$ (в исходном положении $\bar{\gamma}_1 + \bar{\gamma}_2 = \bar{\gamma}_3$). Это же неравенство в виде $k = \dfrac{|\bar{\gamma}_1 + \bar{\gamma}_2|}{\bar{\gamma}_3} > 1$ будет определять и условие роста пластинчатой (столбчатой) колониальной структуры в целом. Предполагается, что в режиме нестационарной миграции центральной части любого кругового сегмента граничного фронта однофазной столбчатой колонии указанные неравенства всегда выполняются, что из геометрических соображений (рис. 1.12) вполне обоснованно, если для начального положения $\bar{\gamma}_1 + \bar{\gamma}_2 = \bar{\gamma}_3$ ($\theta = 120°$).

Если $\bar{\gamma}_1 + \bar{\gamma}_2 < \bar{\gamma}_3$, но $P_{res} > P_{junct}$, то в процессе миграции границы колонии с матрицей профиль границы меняется вплоть до установления равновесной начальной конфигурации, и тогда процесс роста уже полностью соответствует рассмотренной выше картине.

1.4.2 Совместный рост группы пластинчатых зерен при фазовом превращении типа $\beta \to \alpha$

Теперь рассмотрим случай (реализуемый, например, при направленной кристаллизации), когда колония пластинчатых (столбчатых) параллельно ориентированных зерен, прорастающих в матрицу, отличается от нее не только удельным значением объемной свободной энергии, обеспечивающим возникновение термодинамической движущей силы характера кристаллизации, но и типом структуры. Это, естественно, сразу же приведет к изменению профиля мультисегментной границы. Отличие от предыдущего случая будет заключаться в том, что в тройном переходе матрица/прилегающие зерна колонии $r_0 \neq L$ и $\theta \neq 120°$. Противодействующей силой миграции фронта границы колонии и здесь остается сила Лапласа.

Пусть колониальная структура соответствует фазе α, а матрица $-\beta$. Тогда движущую силу будем обозначать как P_α, а противодействующую - $P_\gamma \left(P_\gamma = \dfrac{2\gamma_{\alpha\beta}}{r} \right)$. Как и прежде, начальное положение профиля границы колонии (этот профиль для двух соседних столбчатых зерен показан на рис. 1.13) определяется равенством $\sum\limits_i \bar{\gamma}_i = 0$ или, точнее, вариантом $\bar{\gamma}_{\alpha\beta} + \bar{\gamma}_{\alpha\beta} = \bar{\gamma}_{\alpha\alpha}$, который соответствует соотношению $2\gamma_{\alpha\beta} \cdot \cos\dfrac{\theta}{2} = \gamma_{\alpha\alpha}$. В этом случае угол θ обязательно будет отличаться в ту или иную сторону от $120°$, так как $\gamma_{\alpha\beta} \neq \gamma_{\alpha\alpha}$. Для продольного роста колоний с заданным начальным положением необходимо, чтобы неравенство $k > 1$ выполнялось автоматически, т.е. $\bar{\gamma}_{\alpha\beta}^{(1)} + \bar{\gamma}_{\alpha\beta}^{(2)} > \bar{\gamma}_{\alpha\alpha}$.

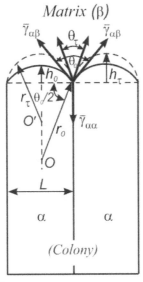

Рисунок 1.13 - Схема двух соседних ламеллярных зерен растущей плоской колонии α-фазы (β - матричная фаза).

Итак, пусть $\bar{\gamma}_{\alpha\beta} > \bar{\gamma}_{\alpha\alpha}$; тогда $\cos\dfrac{\theta}{2} < \dfrac{1}{2}$ и $\theta > 120°$. В этом случае $r_0 > L$ и $r_0 = \dfrac{L}{2\cos\theta/2} = L\gamma_{\alpha\beta}/\gamma_{\alpha\alpha}$. Замена в предэкспоненциальном множителе соответсвующего выражения (см. подраздел 1.41.1) L на r_0 дает нам исходный вид (без учета начального условия) решения дифференциального уравнения (1.66)

Пусть $\bar{\gamma}_{\alpha\beta} > \bar{\gamma}_{\alpha\alpha}$; тогда $\cos\dfrac{\theta}{2} < \dfrac{1}{2}$ и $\theta > 120°$. В этом случае $r_0 > L$ и $r_0 = \dfrac{L}{2\cos\theta/2} = L\gamma_{\alpha\beta}/\gamma_{\alpha\alpha}$. Замена L в предэкспоненциальном множителе на r0 (см. подраздел 1.41.1) дает нам исходный вид (без учета начального условия) решения дифференциального уравнения (1.66)

$$r^{-1} = a + \left(\dfrac{1 - ar_0}{r_0}\right)\exp\left(-\dfrac{b}{L^2}\tau\right), \quad (1.76)$$

где уже есть $a = \dfrac{P_\alpha}{2\gamma_{\alpha\beta}}$, и $b = 16m\gamma_{\alpha\beta}$.

Подставим $h = \dfrac{L^2}{8r}$ в (1.76). Тогда максимальная высота граничного сегмента функционально связана со временем нестационарного роста колонии зависимостью

$$h_\alpha = \dfrac{1}{8}\alpha L^2\left[\dfrac{P_\alpha}{2\gamma_{\alpha\beta}} + \left(\dfrac{1}{L}\dfrac{\gamma_{\alpha\alpha}}{\gamma_{\alpha\beta}} - \dfrac{P_\alpha}{2\gamma_{\alpha\beta}}\right)\exp\left(\dfrac{b\tau}{L^2}\right)\right], \quad (1.77)$$

(в различных расчетах с использованием этого выражения, как и ранее, мы будем считать, что $\alpha \cong 1$). Покажем, что и в этом случае процесс нестационарного роста (т.е. при увеличении h) преимущественно затухает. Для этого достаточно убедиться, что предэкспоненциальный множитель в выражении является отрицательной величиной, т.е. $\dfrac{1}{L}\dfrac{\gamma_{\alpha\alpha}}{\gamma_{\alpha\beta}} - \dfrac{P_\alpha}{2\gamma_{\alpha\beta}} < 0$.

76

Легко заметить, что рост чаще всего возможен только в том случае, если $2\gamma_{\alpha\beta}\cos\dfrac{\theta}{2}-\gamma_{\alpha\alpha}>0$.

Так как $2\cos(\theta/2)=L/r$ (рис. 1.13), то из приведенного выше неравенства непосредственно следует

$$\gamma_{\alpha\beta}\left(2\cos\frac{\theta}{2}-\frac{\gamma_{\alpha\alpha}}{\gamma_{\alpha\beta}}\right)=\gamma_{\alpha\beta}\left(\frac{L}{r}-\frac{\gamma_{\alpha\alpha}}{\gamma_{\alpha\beta}}\right)=\frac{\gamma_{\alpha\beta}L}{r}\left(1-\frac{r}{L}\frac{\gamma_{\alpha\alpha}}{\gamma_{\alpha\beta}}\right)>0$$

и $\dfrac{r}{L}\dfrac{\gamma_{\alpha\alpha}}{\gamma_{\alpha\beta}}<1$ (потому что). $\dfrac{\gamma_{\alpha\beta}}{r}L>0$

Далее $\dfrac{P_{\alpha}}{2\gamma_{\alpha\beta}/r}>1$ (от физического смысла явления) и,

следовательно, $\dfrac{r}{L}\dfrac{\gamma_{\alpha\alpha}}{\gamma_{\alpha\beta}}-\dfrac{P_{\alpha}}{2\gamma_{\alpha\beta}}\cdot r=r\left(\dfrac{1}{L}\dfrac{\gamma_{\alpha\alpha}}{\gamma_{\alpha\beta}}-\dfrac{P_{\alpha}}{2\gamma_{\alpha\beta}}\right)<0$.

Так как r - неотрицательная величина, мы получаем искомый результат, а именно: $\dfrac{1}{L}\dfrac{\gamma_{\alpha\alpha}}{\gamma_{\alpha\beta}}-\dfrac{P_{\alpha}}{2\gamma_{\alpha\beta}}<0$. Теперь найдем аналитическое выражение для порогового времени, при котором происходит смена режимов роста (стационарный процесс сменяется нестационарным). Здесь мы снова используем тот же подход, что и в предыдущем случае. Однако условие действия одинаковых движущих сил на тройной переход и участок граничного фронта, по сравнению с выведенным ранее (условие (1.71)), уже будет иметь несколько иной вид (в связи с тем, что) $\gamma_{\alpha\beta}\neq\gamma_{\alpha\alpha}$

$$\left(2\gamma_{\alpha\beta}\cos\frac{\theta}{2}-\gamma_{\alpha\alpha}\right)\frac{1}{L}=\left(\frac{L}{r_{th}}\gamma_{\alpha\beta}-\gamma_{\alpha\alpha}\right)\frac{1}{L}=P_{\alpha}-\frac{2\gamma_{\alpha\beta}}{r_{th}}\ .\ (1.78)$$

Следовательно, мы имеем

$$r_{th}=\frac{3\gamma_{\alpha\beta}}{P_{\alpha}+\dfrac{\gamma_{\alpha\alpha}}{L}}\cdot\gamma_{\alpha\beta}\ .\ (1.79)$$

Тогда исходное уравнение стационарного роста

$$v_{st} = \frac{dh_\alpha}{d\tau} = m\left(P_\alpha - \frac{2\gamma_{\alpha\beta}}{r_{th}} \right) \qquad (1.80)$$

преобразуется в форму

$$\left(\frac{dh_\alpha}{d\tau} \right)_{st} = \frac{1}{3} m\left(P_\alpha - \frac{2\gamma_{\alpha\alpha}}{L} \right), \ (1.81)$$

Т.е., как и в предыдущем случае, скорость стационарного процесса, помимо P_α, будет определяться также величиной удельной граничной энергии растущей колонии столбчатых зерен (для заданного значения L).

Путь, пройденный фронтом многосегментной границы с постоянной скоростью (v_{st}), будет получен интегрированием (1.81) в пределах $h_{st}^\alpha - h_\alpha$ и $\tau_{th}-\tau$

$$h_\alpha = h_{nonst}^\alpha + \frac{1}{3} m\left(P_\alpha - \frac{2\gamma_{\alpha\alpha}}{L} \right)(\tau - \tau_{th}) \ . \ (1.82)$$

Чтобы определить τ_{th}, необходимо рассмотреть соотношения (1.76) и (1.79) вместе. В результате имеем $\frac{1}{3L}\frac{\gamma_{\alpha\alpha}}{\gamma_{\alpha\beta}} + \frac{2}{3}a = a + \left(\frac{1}{L}\frac{\gamma_{\alpha\alpha}}{\gamma_{\alpha\beta}} - a \right)\exp\left(-\frac{b}{L^2}\tau_{th} \right)$.

После несложных преобразований мы сразу получаем уже знакомое по предыдущему аналогичному рассмотрению выражение $\tau_{th} = \frac{L^2 \ln 3}{b}$, которое в развернутом виде дает нам

$$\tau_{th} \approx \frac{L^2}{m\gamma_{\alpha\beta}}. \qquad (1.83)$$

Поэтому, если r_{th} зависит как от межфазной ($\gamma_{\alpha\beta}$), так и от межзерновой свободной энергии ($\gamma_{\alpha\alpha}$), то пороговое время τ обратно пропорционально только межфазной энергии $\gamma_{\alpha\beta}$, а также подвижности m.

Определим также в этом случае угловой коэффициент кривой нестационарного процесса ($h = h(\tau)$) в точке τ_{th} (т.е. мгновенную скорость роста столбчатых зерен в данный момент времени)

$$k_{nonst}(\tau_{th}) = -2m\gamma_{\alpha\beta}\left(\frac{1}{L}\frac{\gamma_{\alpha\alpha}}{\gamma_{\alpha\beta}} - \frac{P_\alpha}{2\gamma_{\alpha\beta}}\right)\exp(-\ln 3) =$$

$$-\frac{2}{3}m\left(\frac{\gamma_{\alpha\alpha}}{L} - \frac{P_\alpha}{2}\right) = \frac{1}{3}m\left(P_\alpha - \frac{\gamma_{\alpha\alpha}}{L}\right) = k_{st}$$

(см. соотношение (1.81)).

Таким образом, в данном случае в точке τ_{th} наблюдается плавный переход от одного процесса роста столбчатых колоний к другому.

1.4.3 Совместный рост пластинчатой группы зерен (двухфазная колония) при фазовом превращении M $\rightarrow \alpha + \beta$

Наконец, рассмотрим самый сложный случай, который охватывает любой тип двухфазного превращения матричной фазы с нормальной кинетикой (например, эвтектическую кристаллизацию, эвтектоидный и прерывистый (ячеистый) распад пересыщенной фазы и т.д.).

Мы рассмотрим двухфазный распад эвтектоидного типа. Образующаяся в результате превращения столбчатая (или пластинчатая) колония кристаллов двух типов обычно участвует в процессе кооперативного продольного роста в объеме пересыщенной матрицы.

Обозначим матричную фазу как M, а фазы, образующиеся в результате ее распада, как α и β. Тогда столбчатая колония, способная участвовать в продольном росте, будет состоять из чередующихся кристаллов обеих фаз разной ширины (L_α и L_β). В результате граничный фронт такой колонии будет иметь дискретно-переменный характер (рис. 1.14), поскольку фазы колонии отличаются друг от друга по физической природе. Миграция граничного фронта колонии осуществляется под действием трех термодинамических сил: движущей $P_{\alpha\beta}$ ($P_{\alpha\beta} = F_{\alpha+\beta} - F_M$); где $F_{\alpha+\beta}$ - удельная свободная энергия двухфазной смеси, F_M - то же для матричной фазы) и двух отдельно действующих контрдвижущих (удерживающих) сил Лапласиана P_γ^α и P_γ^β, ($P_\gamma^\alpha = \dfrac{2\gamma_{\alpha M}}{r_\alpha}$ и

$P_\gamma^\beta = \dfrac{2\gamma_{\beta M}}{r_\beta}$).

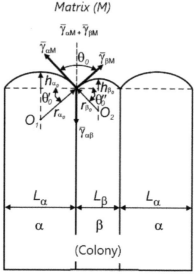

Рисунок 1.14 - Схема элементарной пластинчатой двухфазной колонии (двумерная модель), прорастающей в крупное зерно матричной фазы (M).

80

Следует особо отметить, что рассматриваемый случай является достаточно сложным и требует введения ряда упрощающих допущений для обеспечения возможности общего анализа кинетической ситуации.

Прежде всего, примем, что противодействующие силы для разных типов сегментов фронта колонии с разной кривизной одинаковы $P_\gamma^\alpha = P_\gamma^\beta$; в данном случае $L_\alpha \neq L_\beta$, а среднее межколоночное (межпластинчатое) расстояние $\left(L = \frac{1}{2}\left(L_\alpha + L_\beta\right) \right)$ постоянно вдоль всего фронта реакции (роста). Кроме того, будем считать, что в рассматриваемом случае строго выполняется неравенство $\bar{\gamma}_{\alpha M} + \bar{\gamma}_{\beta M} > \bar{\gamma}_{\alpha\beta}$ (как обязательное условие кооперативного роста обеих фаз колонии), здесь $\left(\bar{\gamma}_{\alpha M (\beta M \; or \; \alpha\beta)} \right)$ - вектор поверхностного натяжения на соответствующей границе раздела; $\gamma_{\alpha M \; (\beta M \; or \; \alpha\beta)}$ - модуль такого вектора или его эквивалентная удельная поверхностная энергия). Нарушение этого условия приводит к нарушению кооперативного процесса и способствует формированию структуры типа конгломерата. И, наконец, мы предполагаем, что подвижность интерфейсов фактически одинакова, т.е. $m_\alpha = m_\beta = m$.

Далее, скорость продольного перемещения отдельных участков граничного фронта колонии (при неподвижности ее тройных стыков) в нестационарном режиме роста должна в этом наиболее сложном и интересном случае подчиняться уравнению вида (1.62), которое с новыми обозначениями и с учетом сделанных предположений запишется в виде

$$\frac{dh_{\alpha(\beta)}}{d\tau} = m\left(P_{\alpha\beta} - P_\gamma\right), \; (1.84)$$

где $P_\gamma = P_\gamma^\alpha = P_\gamma^\beta$, и $m_\alpha = m_\beta = m$.

В этом случае, конечно, подразумевается, что в условиях согласованного роста максимальные значения h для обоих типов сегментов в любой момент времени не совпадают, т.е. $h_\alpha(\tau) \neq h_\beta(\tau)$.

Теперь определим начальные условия для роста разносегментного граничного фронта двухфазной колонии. Согласно рис. 1.14, для начального положения фронта границы справедливы соотношения , $\gamma_{\alpha M} \cos\theta' + \gamma_{\beta M} \cos\theta'' = \gamma_{\alpha\beta}$

$r_{\alpha(0)} = \dfrac{L_\alpha}{2\cos\theta'}$ и $r_{\beta(0)} = \dfrac{L_\beta}{2\cos\theta''}$, а $\theta' + \theta'' = \theta$.

Теперь первое условие можно переписать в виде $\dfrac{\gamma_{\alpha M}}{r_{\alpha(0)}}\dfrac{L_\alpha}{2} + \dfrac{\gamma_{\beta M}}{r_{\beta(0)}}\dfrac{L_\beta}{2} = \gamma_{\alpha\beta}$ и, поскольку в любой момент времени $P_\gamma^\alpha = P_\gamma^\beta$, мы получаем,

$$r_{\alpha(0)} = L\frac{\gamma_{\alpha M}}{\gamma_{\alpha\beta}} \text{ и } r_{\alpha(0)} = L\frac{\gamma_{\beta M}}{\gamma_{\alpha\beta}} \text{ . (1.85)}$$

Мы снова используем решение дифференциального уравнения (1.66) в общем виде (формула (1.76)) и подставляем в него поочередно оба полученных начальных условия, заменив кривизну r_α^{-1} (а затем r_β^{-1}) на пропорциональную ей максимальную высоту соответствующего кругового сегмента колоний фронта границы (напомним, что высоты двух типов сегментов обозначаются как h_α и h_β) с помощью уравнения-связки типа $h = \dfrac{L^2}{8r}$.

В результате мы получаем два уравнения (кинетические условия совместного роста), которые связывают максимальные высоты наших сегментов пограничного фронта с временем нестационарного роста всей колонии в целом:

$$h_\alpha = \frac{1}{8}q_\alpha L_\alpha^2 \left[a + \left(\frac{1}{L}\frac{\gamma_{\alpha\beta}}{\gamma_{\alpha M}} - a \right)\exp\left(-\frac{b}{L_\alpha^2}\tau \right) \right]; \text{ (1.86, a)}$$

$$h_\beta = \frac{1}{8} q_\beta L_\beta^2 \left[a + \left(\frac{1}{L} \frac{\gamma_{\alpha\beta}}{\gamma_{\beta M}} - a \right) \exp\left(-\frac{b}{L_\beta^2} \tau \right) \right], \ (1.86, \text{b})$$

где $q\alpha$ и $q\beta$ - поправочные множители ($q_\alpha = \dfrac{2}{1 + \sin\theta'}$, и

$q_\beta = \dfrac{2}{1 + \sin\theta''}$), которые мало отличаются от единицы в диапазоне

углов 150...70°. Отметим, что выражения $\dfrac{P_{\alpha\beta}}{2\gamma_{\alpha M(\beta M)}}$ и $16 m \gamma_{\alpha M(\beta M)}$

качественно идентичны обозначениям a и b в формуле (1.66) и в уравнениях (1.86).

Для того чтобы процесс нестационарного роста двухфазной колонии затухал, предэкспоненциальные коэффициенты в выражениях (1.86, а) и (1.86, б) должны быть отрицательными. Покажем, что в рассматриваемом случае это действительно имеет место, и, следовательно, нестационарный процесс должен в конце концов прекратиться. Итак, необходимо доказать, что, например,

$\dfrac{1}{L} \dfrac{\gamma_{\alpha\beta}}{\gamma_{\alpha M}} - \dfrac{P_{\alpha\beta}}{2\gamma_{\alpha M}} < 0$.

При нестационарном росте неравенство $\left(\gamma_{\alpha M} \dfrac{L_\alpha}{2 r_\alpha} + \gamma_{\beta M} \dfrac{L_\beta}{2 r_\beta} - \gamma_{\alpha\beta} \right) > 0$ справедливо, более того, оно

усиливается по мере развития этого процесса. Поскольку $P_\gamma^\alpha = P_\gamma^\beta$,

наше неравенство можно преобразовать к виду

$\dfrac{\gamma_{\alpha M}}{r_\alpha} L \left(1 - \dfrac{1}{L} \dfrac{\gamma_{\alpha\beta}}{\gamma_{\alpha M}} r_\alpha \right) > 0$, отсюда следует, что $\dfrac{1}{L} \dfrac{\gamma_{\alpha\beta}}{\gamma_{\alpha M}} \cdot r_\alpha < 1$. В то же

время $\dfrac{P_{\alpha\beta}}{2\gamma_{\alpha M}} \cdot r_\alpha > 1$, поскольку $P_{\alpha\beta} > P_\gamma^\alpha$ (физическое условие роста α-

фазы в двухфазной колонии). Таким образом, $r_\alpha \left(\dfrac{1}{L} \dfrac{\gamma_{\alpha\beta}}{\gamma_{\alpha M}} - \dfrac{P_{\alpha\beta}}{2\gamma_{\alpha M}} \right) < 0$,

откуда следует доказательство нашего неравенства, поскольку $r_\alpha > 0$

. Для реализации согласованного продольного роста столбчатых кристаллов двухфазной колонии необходимо выполнение следующего требования: максимальные высоты граничных отрезков h_α и h_β должны изменяться таким образом, чтобы вектор суммы $\bar{\gamma}_{\alpha M} + \bar{\gamma}_{\beta M}$ всегда совпадал с нормалью к средней линии фронта реакции (кристаллизации). Физически это возможно, если стационарный режим роста устанавливается одновременно для обеих фаз колонии. Это обстоятельство накладывает дополнительное ограничительное условие: $L_\alpha^2 / L_\beta^2 = \gamma_{\alpha M} / \gamma_{\beta M}$. По-видимому, в реальных условиях роста это соотношение поддерживается автоматически, что позволяет достичь определенного согласия между толщинами столбчатых кристаллов и значениями межфазных свободных энергий. Это соотношение, наряду с другими, приведенными выше, позволяет получить выражения, определяющие размеры пластин различных типов обеих фаз для фиксированных температур процесса роста; например,

$$L_\alpha = \frac{4_{\alpha\beta}}{P_\gamma \left(1 + \sqrt{\dfrac{\gamma_{\beta M}}{\gamma_{\alpha M}}}\right)} \ .$$

Условие равновесия движущих сил тройного стыка двухфазной колонии и центральных участков ее круговых пограничных сегментов будет заметно отличаться по форме от идентичных условий уже рассмотренных выше случаев. Оно выглядит следующим образом

$$\left(\gamma_{\alpha M}\cos\theta' + \gamma_{\beta M}\cos\theta'' - \gamma_{\alpha\beta}\right) \cdot \frac{2}{L_\alpha + L_\beta} = P_{\alpha\beta} - P_\gamma. \qquad (1.87)$$

Пороговые значения радиусов граничных отрезков r_α^{th} и r_β^{th} можно легко получить из условия (1.87), подставив их аналитические выражения вместо $\cos\theta'$ и : $\cos\theta''$ $L_\alpha/2r_\alpha$ и $L_\beta/2r_\beta$ и используя тот факт, что $\dfrac{2\gamma_{\alpha M}}{r_\alpha} = \dfrac{2\gamma_{\beta M}}{r_\beta} = P_\gamma$.

В результате имеем $\dfrac{3\gamma_{\alpha_M}}{r_\alpha} = \dfrac{3\gamma_{\beta_M}}{r_\beta} = \dfrac{2\gamma_{\alpha\beta}}{L_\alpha + L_\beta} + P_{\alpha\beta}$, из которого получаем следующие соотношения:

$$r_\alpha^{th} = \frac{3\gamma_{\alpha_M}}{P_{\alpha\beta} + \dfrac{\gamma_{\alpha\beta}}{L}} \; ; \; (1.88,\,а)$$

и

$$r_\beta^{th} = \frac{3\gamma_{\beta_M}}{P_{\alpha\beta} + \dfrac{\gamma_{\alpha\beta}}{L}} \, . \qquad (1.88,\,b)$$

Скорость стационарного роста фазовых компонентов колонии будет описываться уравнением

$$v_{st}^{\alpha(\beta)} = \frac{dh_{\alpha(\beta)}}{d\tau} = m\left[P_{\alpha\beta} - \frac{2\gamma_{\alpha(\beta)_M}}{r_{\alpha(\beta)}^{th}} \right]. \qquad (1.89)$$

Подставив условия (1.88, а, б) в уравнение (1.89), можно получить следующее окончательное выражение для скоростей роста этих фазовых компонент в стационарном режиме:

$$v_{st}^{\alpha} = v_{st}^{\beta} = \frac{1}{3} m\left(P_{\alpha\beta} - \frac{2\gamma_{\alpha\beta}}{L} \right). \qquad (1.90)$$

Таким образом, на основании вышесказанного можно утверждать, что скорость стационарного роста и путь, проходимый фронтом границы колонии в этом режиме, будут определяться средней плотностью ее продольных границ, а также (как и во всех предыдущих случаях) величиной межкристаллитной (α/β) свободной энергии. Чем выше значения этих параметров ростовых процессов, тем ниже скорость продольного роста столбчатой (пластинчатой) колонии.

Аналогично тому, как мы делали это ранее, рассмотрение (для определения $\tau_{th}^{\alpha(\beta)}$) вместе уравнений (1.76) и (1.88, a, b) с соответствующими этому случаю значениями a и b дает (например, для α-фазы)

$$\frac{P_{\alpha\beta} + \gamma_{\alpha\beta}/L}{3\gamma_{\alpha M}} = \frac{P_{\alpha\beta}}{2\gamma_{\alpha M}} + \left(\frac{1}{L}\frac{\gamma_{\alpha\beta}}{\gamma_{\alpha M}} - \frac{P_{\alpha\beta}}{2\gamma_{\alpha M}}\right)\exp\left(-\frac{16m\gamma_{\alpha M}}{L_\alpha^2}\cdot\tau_{th}^\alpha\right)$$

и далее

$$\frac{1}{3}\frac{1}{L}\frac{\gamma_{\alpha\beta}}{\gamma_{\alpha M}} - \frac{1}{6}\frac{P_{\alpha\beta}}{\gamma_{\alpha M}} = \frac{1}{3}\left(\frac{1}{L}\frac{\gamma_{\alpha\beta}}{\gamma_{\alpha M}} - \frac{P_{\alpha\beta}}{2\gamma_{\alpha M}}\right) = \left(\frac{1}{L}\frac{\gamma_{\alpha\beta}}{\gamma_{\alpha M}} - \frac{P_{\alpha\beta}}{2\gamma_{\alpha M}}\right)\exp\left(-\frac{16m\gamma_{\alpha M}}{L_\alpha^2}\cdot\tau_{th}^\alpha\right)$$

отсюда $\ln 3 = \dfrac{16m\gamma_{\alpha M}}{L_\alpha^2}\cdot\tau_{th}$. Аналогичный результат получен и для β-фазы.

Таким образом, для порогового времени обеих фаз справедливы следующие соотношения, сведенные к одному выражению:

$$\tau_{th}^{\alpha(\beta)} = \frac{L_{\alpha(\beta)}^2}{16m\gamma_{\alpha(\beta)M}}\cdot\ln 3 \; ; \; (1.91)$$

и $\tau_{th}^\alpha = \tau_{th}^\beta$, поскольку кооперативный (полностью согласованный) рост обеих фаз столбчатой колонии в нестационарном режиме возможен, как уже отмечалось выше, только при $L_\alpha^2/\gamma_{\alpha M} = L_\beta^2/\gamma_{\beta M}$ (здесь дана производная пропорции предыдущего выражения).

Время установления стационарного режима роста всех фаз столбчатой колонии теперь определяется не просто обратным значением межфазной энергии (в нашем случае $\gamma_{\alpha(\beta)M}$) на границе раздела матрица-избыточная фаза, а будет определяться конкретными значениями отношения толщин столбчатых кристаллов обеих фаз колонии к соответствующим значениям удельной межфазной энергии. И в этом случае, опять же, путем определения угловых коэффициентов кривых роста в точке τ_{th} можно показать, что переход от одного режима роста колонии к другому (стационарному) является плавным, а вся кривая типа $h_{\alpha(\beta)} = h(\tau)$ - гладкой на всем заданном интервале времени τ.

В заключение данного подраздела отметим следующее. Все рассмотренные выше теоретические модели роста столбчатых (пластинчатых) кристаллов при их практической реализации могут испытывать некоторые "деформации", поскольку начало движения тройных граничных стыков не обязательно должно совпадать с моментом установления баланса движущих сил для стыков и сегментов фронта колонии. Однако эти деформации и порождаемое ими "мертвое" время, в течение которого не происходит изменения конфигурации отдельных пограничных сегментов и всего фронта внешней границы колонии, относительно невелики и часто могут быть проигнорированы.

1.5 Продольно-поперечный ("веерный") рост колоний столбчатых зерен (формирование структур полигонального типа) [30]

Рассмотренные в разделе 1.4 (см. также [25, 26, 31, 32]) подходы к росту столбчатых (пластинчатых) зерен могут быть распространены и на веерообразный рост колониальных структур. Часто такой рост наблюдается в пограничных зонах пересыщенных матриц, испытывающих скачкообразный (ячеистый) "двухфазный" распад по схеме $\alpha \rightarrow \alpha_1 + \beta$, например, в случае никелевой матрицы, пересыщенной цирконием, а также при образовании однофазных столбчатых сферулитов и сферулитических эвтектик [33] .

Веерообразный рост столбчатых зерен обычно реализуется в тех случаях, когда движущая сила процесса роста P проявляет некоторую "рассеянную" векторность. Типичным примером такого положения дел является ярко выраженная полигональная дислокационная структура, в которой области избыточной свободной энергии связаны с заметно развернутыми стенками краевых дислокаций, которые могут быть разрушены в процессе роста веерообразной колонии бездислокационных зерен. По-видимому, прерывистый распад с веерообразным ростом столбчатых зерен двух разных фаз может быть обусловлен теми же причинами, поскольку вблизи дислокаций стенок субграниц могут накапливаться различные химические элементы, создающие эффект локального пересыщения матричной фазы.

Сразу отметим, что математический анализ роста веерообразных колоний столбчатых зерен очень громоздк, поэтому здесь мы рассмотрим простейший случай однофазной колонии зерен любой фазы, которые растут в одной и той же фазовой среде, но по сравнению со столбчатыми зернами обладают избыточной свободной энергией (например, случай распространения фронта рекристаллизации).

На рис. 1.15 показано изображение однофазного двухзернистого "веера", поведение которого мы попытаемся описать, используя подход, аналогичный тому, который обсуждался ранее при рассмотрении ряда случаев параллельного роста [25, 26, 31, 32].

Главная отличительная особенность рассматриваемой ситуации заключается в том, что каждый участок фронта границы веерообразной колонии испытывает эквивалентную двойную кривизну (помимо собственной, добавляется кривизна, возникающая из-за того, что линия фронта основания представляет собой не прямую линию, а дугу большого радиуса). Результирующая кривизна R_{res}^{-1} участка фронта в этом случае будет определяться суммой

$$R_{res}^{-1} = r^{-1} + R^{-1} \text{ , (1.92)}$$

где r^{-1} - собственная кривизна кругового сегмента зерна колонии в условиях прямолинейного фронта границы (линия основания - прямая линия); R^{-1} - кривизна базовой линии (дуги большого радиуса на рис. 1.15) фронта границы всей веерообразной колонии.

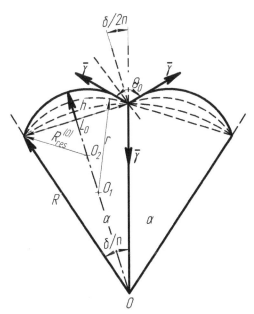

Рисунок 1.15 - Схема однофазного колониального "веера" (двумерная модель): r - радиус кривизны сегмента зерна колонии при наличии прямолинейного фронта границы с матрицей (крупное зерно той же фазы); R - радиус кривизны базовой линии (дуги большого радиуса) фронта границы; $R_{res}^{(0)}$ начальное значение результирующего радиуса граничного сегмента; h, L_0 и θ_0 - соответственно начальные значения высоты, хорды сегмента и "двугранного" контактного угла вдоль линии граничного фронта; $\bar{\gamma}$ - вектор межзернового напряжения.

Тогда сила сопротивления миграции граничного фронта (противодействующая сила P_γ) снова будет иметь лапласианный характер, т.е. соответствовать выражению

$$P_\gamma = \frac{2\gamma}{R_{res}}$$

,

где γ - удельная характеристика межколоночной и фронтальной свободной энергии. Скорость продольного роста веерообразной колонии в нестационарном режиме выражается как

$$\left(\frac{dh}{d\tau}\right)_{нестац} = m\left(P - \frac{2\gamma}{R_{res}}\right), (1.93)$$

где m - подвижность граничного участка, а P - основная движущая сила упругого характера.

Как уже было показано в работах [25, 26, 31, 32], начальным условием для параллельного роста зерен в нестационарном режиме является равенство $r_0 = L$, которому соответствует равновесное состояние тройных стыков зерен ($\theta = 120^0$). В результате поворота продольных границ зерен колонии ($\Delta\delta$ - элементарный угол такого поворота) это начальное условие, естественно, должно изменить свой характер. Прежде всего, параметр L в нашем случае имеет несколько иной смысл, чем раньше. Теперь это уже не просто ширина зерна колонии (истинное межламеллярное расстояние), а хорда любого из его малых сегментов, соответствующая максимальной ширине отдельного зерна в исходном положении ($L=L_0$).

Далее, пусть некоторая веерообразная колония включает n столбчатых зерен с общей малой разориентацией δ. Тогда для каждого сегмента такой колонии можно написать $1/R_{res}^{(0)} = r_0^{-1} + R_0^{-1}$, а также $nL_0 \cong R_0\delta$, если n достаточно велико. Отсюда следует (с учетом того, что $r_0 = L$).

$$\frac{1}{R_{res}^{(0)}} \cong \frac{1}{L_0} + \frac{\delta}{nL_0} = \frac{1}{L_0}\left(1 + \frac{\delta}{n}\right)$$

и наконец

$$R_{res}^{(0)} \cong L_0 \left(\frac{1}{1 + \delta / n} \right). \qquad (1.94)$$

Легко видеть, что если в (1.94) подставить $\delta / n = 0$ (случай колонии параллельных столбчатых зерен, для которого $R_0 = \infty$), то мы получим начальное условие для параллельного роста в нестационарном режиме $R_{res}^{(0)} = r_0 = L$. Таким образом, начальное условие в виде (1.94) вполне корректно. Кроме того, отметим еще одно важное обстоятельство: в процессе нестационарного роста колониального "веера" меняется только кривизна сегментов фронта; в случае же смещения всего фронта границы меняются оба радиуса кривизны, а попутно и хорда L_0 .

Поскольку при малых δ / n выражения из раздела 1.4 для высоты сегмента h (1.63) и (1.65) остаются верными, вплоть до небольших поправок, то после решения дифференциального уравнения

$$\frac{dR_{res}}{d\tau} \cong \frac{bR_{res}}{L^2} \left(1 - aR_{res} \right) \qquad (1.95)$$

и с учетом начального условия (1.94) получаем

$$\frac{1}{R_{res}} \cong \frac{P}{2\gamma} + \left[\frac{1 - \dfrac{P}{2\gamma} L_0 \left(\dfrac{1}{1 + \delta / n} \right)}{L_0 \left(\dfrac{1}{1 + \delta / n} \right)} \right] \exp\left(-\frac{16m\gamma}{L^2} \cdot \tau \right) . \quad (1.96)$$

При этом в выражении для разности высот сегментов $dh = \dfrac{1}{8} \left(\dfrac{2L}{r} dL_0 - \dfrac{L_0^2}{r} dr \right)$, первым членом разности пренебрегали, так как везде рассматриваются относительно небольшие временные интервалы, в пределах которых изменением dL_0 можно пренебречь.

И, наконец, используя приближение $h \cong L_0 / (8r)$, получаем интересующую нас зависимость между максимальной высотой граничного сегмента веерообразной колонии столбчатых зерен и временем нестационарного роста

$$h \cong \frac{1}{8}cL^2 R_{res}^{-1}(\tau), \quad (1.97)$$

где c - поправочный коэффициент порядка 1.

Для определения порогового значения радиуса кривизны сегмента пограничного фронта колонии $\left(R_{res}^{th}\right)$ найдем аналитическое выражение для баланса движущих сил, действующих на тройные пограничные стыки зерен колонии и ее пограничных сегментов. С учетом кривизны граничного фронта колониального "веера" это выражение приобретает несколько иной вид, чем ранее [25, 32].

$$2\left[\sum_{j=1}^{k}\cos(2j-1)\frac{\delta}{2n}\right]\left(2\cos\frac{\theta}{2}-1\right)\gamma = P - \frac{2\gamma}{R_{res}^{th}}, \quad (1.98)$$

где k - число поворотов вектора $\bar{\gamma}_j\left(\left|\bar{\gamma}_j\right| = \left(2\cos\frac{\theta}{2}-1\right)\gamma\right)$ в направлении нормали к участку граничного фронта единичной длины (и ширины).

Легко видеть, что сумма ряда, расположенного в левой части равенства (1.98), совпадает по смыслу и численно с $1/2\,L_0$, если $\delta/2n$ стремится к нулю. Оценим значение суммы этого ряда для любого значения угла $\delta/2n$. Известно[34] , что ряд вида

$$\cos\alpha + \cos(\alpha+\beta) + \cos(\alpha+2\beta) + ... + \cos[\alpha+(m-1)\beta]$$

при суммировании дает следующий результат:

$$\frac{\cos\left(\alpha + \frac{m-1}{2}\beta\right)\cdot\sin\frac{m}{2}\beta}{\sin\frac{\beta}{2}}.$$

Пусть $\alpha = \dfrac{\delta}{2n}$, и $\beta = 2\dfrac{\delta}{2n}$; тогда

$$\sum_{j=1}^{k}\cos(2j-1)\frac{\delta}{2n} = \cos\frac{\delta}{2n} + \cos 3\frac{\delta}{2n} + \cos 5\frac{\delta}{2n} + \ldots + \cos(2k-1)\frac{\delta}{2n} = \frac{\sin\left(k\dfrac{\delta}{n}\right)}{2\sin\dfrac{\delta}{2n}}$$

Также отметим, что $\lim_{\delta/n \to 0} \dfrac{\sin\left(k\dfrac{\delta}{n}\right)}{2\sin\dfrac{\delta}{2n}} = k = \dfrac{1}{2L_0}$.

Далее, согласно рис. 1.15,

$$\frac{L_0}{2R_{res}} = \cos\left(\frac{\theta}{2} - \frac{\delta}{2n}\right) = \cos\frac{\theta}{2}\cdot\cos\frac{\delta}{2n} + \sin\frac{\theta}{2}\cdot\sin\frac{\delta}{2n},$$

откуда $2\cos\dfrac{\theta}{2} = \dfrac{\dfrac{L_0}{R_{pез}} - 2\sin\dfrac{\delta}{2n}\cdot\sin\dfrac{\theta}{2}}{\cos\dfrac{\delta}{2n}} \cong \dfrac{L_0}{R_{res}\cdot\cos\dfrac{\delta}{2n}}$,

поскольку для $\theta/2 < 60^0$ и $\delta/2n \ll \theta/2$ справедливы неравенства

$$\frac{L_0}{R_{res}} > 1 \quad \text{и} \quad 2\sin\frac{\delta}{2n}\cdot\sin\frac{\theta}{2} \ll \frac{L_0}{R_{res}} .$$

Теперь выражение (1.98) можно переписать в виде

$$\frac{2\sin\left(k\dfrac{\delta}{n}\right)}{\sin\dfrac{\delta}{n}}\left(\frac{L_0}{R_{res}^{th}} - \cos\frac{\delta}{2n}\right)\gamma \cong P - \frac{2\gamma}{R_{res}^{th}} . \quad (1.99)$$

Левая часть этого уравнения представляет собой модуль векторной суммы поверхностных межзерновых напряжений, действующих на продольные границы колониального веера в пределах его фронтального участка единичной площади (см. рис. 1.16); кроме того, результирующий вектор является нормалью в такой области и совпадает по направлению с радиус-вектором $\overline{R}$, который характеризует направление движения всего фронта границы колонии столбчатых зерен.

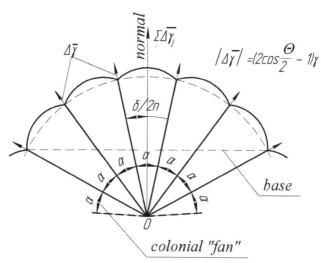

Рисунок 1.16 - Схема действия векторов сил межзернового растяжения на продольные границы колонии (веера) в пределах фронтального участка границы единичной длины

Решение уравнения (1.99) относительно порогового значения сегмента радиуса фронта границы приводит к следующему выражению:

$$R_{res}^{th} \cong \frac{2\left[\dfrac{\sin\left(k\dfrac{\delta}{n}\right)}{\sin\dfrac{\delta}{n}}L_0+1\right]\gamma}{P+2\gamma\dfrac{\sin\left(k\dfrac{\delta}{n}\right)}{\sin\dfrac{\delta}{n}}\cdot\cos\dfrac{\delta}{2n}} . \quad (1.100)$$

Пороговая скорость (υ_{th}), при достижении которой нормальный режим продольного роста колониального веера сменяется согласованным продольно-поперечным ростом входящих в него столбчатых зерен (L_0 и все радиусы кривизны при этом постоянно увеличиваются), будет равна наименьшей скорости перемещения дуги граничного сегмента с закрепленными концами, то есть $\upsilon_{th}=\upsilon_{segm}(\tau_{th})$, где τ_{th} - пороговое время смены механизма роста. Скорость изменения высоты сегментов с неподвижными стыками определяется как производная от выражения (1.97) после предварительной подстановки в него (1.96)

$$\upsilon_{segm}=m\left[P-\frac{2\gamma}{L_0}\left(1+\frac{\delta}{n}\right)\right]e^{-\frac{16m\gamma\tau}{L_0^2}}=\frac{2\gamma}{L_0 m}\left(aL_0-1-\frac{\delta}{n}\right)e^{-\frac{16m\gamma\tau}{L_0^2}},$$

$$(1.101)$$

где $a=P/2\gamma$; L_0 - фактически переменное начальное значение хорды сегмента для последовательной серии небольших временных интервалов, в течение которых можно наблюдать, как один режим роста столбчатых (пластинчатых) зерен сменяется другим.

Пороговое время (τ_{th}) находим из выражения (1.96), подставив в него соотношение для обобщенного порогового радиуса кривизны (выражение (1.100)).

$$\tau_{th} = \frac{L_0^2}{16m\gamma} \ln \frac{\left(1 + \dfrac{\delta}{n} - aL_0\right)(qL_0 + 1)}{qL_0\left(\cos\dfrac{\delta}{2n} - aL_0\right)}, \quad (1.102)$$

где $q = \dfrac{\sin\left(k\dfrac{\delta}{n}\right)}{\sin\dfrac{\delta}{n}}$.

Скорость продольно-поперечного перемещения фронта роста состава можно получить, подставив выражение для порогового времени τ_{th} в формулу (1.101)

$$\upsilon_{front} = 2\gamma m\left(aL_0 - 1 - \frac{\delta}{n}\right)\frac{q\left(\cos\dfrac{\delta}{2n} - aL_0\right)}{\left(1 + \dfrac{\delta}{n} - aL_0\right)(qL_0 + 1)} . \quad (1.103)$$

Это выражение следует интерпретировать как уравнение для продольной компоненты скорости роста, совпадающей по направлению с осью симметрии секторного зерна колонии. Заметим, что все четыре приведенные выше формулы (1.100-1.103) преобразуются в полученные ранее выражения для продольно-параллельного роста колоний столбчатых (пластинчатых) зерен (см. раздел 1.4, а также [25, 26]), если задать $\delta/n = 0$ и $k = 1/(2L_0)$.

Анализ выражений (1.101-1.103) показывает, что общая кривая $\upsilon(\tau)$, охватывающая оба режима роста веерообразных зерен, характеризуется отрицательной кривизной (выпуклостью, обращенной вверх) и асимптотически приближается к прямой $\upsilon(\tau) = mp$ (см. [30]). Такое поведение скорости роста столбчатых зерен колониального веера объясняется следующим образом. В начальной фазе процесса увеличение скорости движения центральных участков передних сегментов уменьшается за счет увеличения их кривизны, так как R при этом не меняется (естественный затухающий процесс), но уже на стадии продольно-поперечного роста (движение всего фронта внешней границы колонии вместе с тройными спаями) замедление скорости роста (при неизменном увеличении R и L) связано с увеличением общей длины межзерновых внутренних границ веерообразной колонии столбчатых зерен, а также с увеличением хорд сегментов фронта роста.

В связи с рассмотренными выше особенностями роста колониальных веерообразных зерен уместно сделать одно важное замечание относительно использования нами термина "стационарность". В контексте обсуждения двух стадий такого роста понятие "стационарность" подразумевает не постоянство скорости движения фронта реакции на второй стадии этого процесса, а сохранение баланса движущих сил, действующих на сегменты и тройные узлы граничного фронта в ходе его реализации.

В заключение этого раздела отметим следующие особенности веерного роста: 1) ориентированный рост веерообразной колонии столбчатых зерен лишь отчасти напоминает продольно-параллельный рост колониальной группы зерен; В заключение этого раздела отметим следующие особенности веерного роста: 1) ориентированный рост веерообразной колонии столбчатых зерен лишь отчасти напоминает продольно-параллельный рост колониальной группы зерен; 2) скорость роста веера всегда переменна даже при наличии баланса движущих сил, действующих на сегменты и тройные стыки внешнего фронта границы; 3) при устранении взаимного вращения зерен колониального веера все установленные зависимости переходят в соотношения, полученные ранее в разделе 2 (см. также [25, 26]) и описывающие поведение колонии параллельно ориентированных столбчатых зерен.

2 МИГРАЦИЯ МЕЖКРИСТАЛЛИТНЫХ ГРАНИЦ ОБЩЕГО ТИПА В ОДНОФАЗНОЙ СРЕДЕ ПРИ НАЛИЧИИ ВКЛЮЧЕНИЙ [22]

2.1 Рост изомерных зерен в присутствии частиц избыточных фаз

2.1.1 Замедление границ зерен стационарными частицами второй фазы

Рассмотрим случай, когда сферические частицы избыточной фазы еще недостаточно малы, чтобы перемещаться (за счет диффузионного перемещения их массы) в объеме матричной фазы вместе с мигрирующими границами. В этом случае будем считать, что все такие частицы статистически равномерно распределены в объеме матрицы и имеют одинаковые размеры. Тогда в процессе миграции некоторой гипотетической (с усредненными параметрами) межклеточной или межгранулярной границы ей будет противодействовать почти постоянная термодинамическая сила ("противодавление") со стороны частиц второй фазы. Естественно, что в этой ситуации реальная движущая сила роста структурных элементов (клеток или зерен) равна разности между термодинамической силой P_γ, определяемой реальной кривизной границы раздела, и средней силой сопротивления "сползанию" этой границы со стороны частиц избыточной фазы (P_N).

Из-за фактора "противодавления" соотношение для движущей силы из группы уравнений (1.17) несколько меняет свой вид (в рассматриваемом случае мы будем оперировать кубической моделью зерна)

$$\overline{P} = P_\gamma - \overline{P}_N = \frac{2\gamma}{r}\left(1 - \frac{r}{R} - \frac{rq}{2}\right) > 0 \qquad (2.1)$$

(когда $\overline{P} > 0$, частицы служат в качестве ограничителей границ). Здесь $\overline{P}_N = 1/2 P_N^{\max} = \gamma q$, и $q = \dfrac{3}{2}\dfrac{\beta}{\rho}$, где β - объемная доля частиц избыточной фазы; ρ - радиус частиц.

С учетом уравнения-связки (последнее соотношение группы (1.17)) выражение (2.1) принимает вид

$$\overline{P} = \frac{\gamma}{rb^2}\left[2r^2 - r\left(2a + qb^2\right) + 2b^2\right]. \qquad (2.2)$$

Далее, поскольку в нашем случае $v = dr/d\tau = m\overline{p}$, после подстановки (2.2) и частичного интегрирования (по времени) получаем следующее неявное решение дифференциального уравнения для роста кубических зерен:

$$\int_{r_0}^{r}\frac{rdr}{2r^2 - r(2a + qb^2) + 2b^2} = \frac{m\gamma\tau}{b^2}. \qquad (2.3)$$

После выделения логарифмического члена это выражение переходит в уравнение

$$\ln\frac{2r^2 - r(2a + qb^2) + 2b^2}{2r_0^2 - r_0(2a + qb^2) + 2b^2} + \\ + \left(2a + qb^2\right)\int_{r_0}^{r}\frac{dr}{2r^2 - r(2a + qb^2) + 2b^2} = \frac{4m\gamma\tau}{b^2}, \qquad (2.4)$$

в котором конкретное значение интегрального члена будет определяться характером соотношения линейных параметров a и b.

Как и прежде, мы попытаемся получить зависимость, описывающую поведение зерен в условиях стабилизированного роста, т. е. в таких условиях, когда зеренная структура сплава (в процессе его эволюции) уже стала практически однородной. В этом случае, как указано в разделе 1.2, [14], $a = \sqrt{2}b$ и , а также

$b^2 - \dfrac{a^2}{4} > 0$ $r_0 \cong a/2$ и $b^2 \cong 2r_0^2$. Тогда логарифмический член

уравнения (2.4) упрощается до вида $\ln \dfrac{r^2 - rr_0(2 + qr_0) + 2r_0^2}{r_0^2(1 + qr_0)}$, а для

узкого интервала изменения r (когда $r \cong r_0$, хотя r/r_0 несколько

больше единицы) предыдущее выражение несколько упрощается

$$\ln \dfrac{\left(\dfrac{r}{r_0}\right)^2 - qr_0}{1 - qr_0} .$$

В свою очередь, второй член того же уравнения превращается в выражение вида

$$r_0(2 + qr_0) \int\limits_{r_0}^{r} \dfrac{d\left[r - r_0\left(1 - \dfrac{qr_0}{2}\right)\right]}{\left[r - r_0\left(1 - \dfrac{qr_0}{2}\right)\right]^2 + r_0^2(1 - qr_0)} . \quad (2.5)$$

Здесь мы пренебрегли членом $(1/4)\cdot(qr_0)^2$, поскольку из

соображений физической реальности $qr_0 < 1$. Действительно, при

будет $r_0/R_0 \cong 1/2$ $\overline{P} = \dfrac{\gamma}{r}(1 - qr_0) > 0$ (см. уравнение (2.1)), откуда

всегда при наличии роста зерна $qr_0 < 1$.

После интегрирования (2.5) имеем

$$\dfrac{2 + qr_0}{\sqrt{1 - qr_0}}\left[arctg\,\dfrac{r - r_0\left(1 - \dfrac{qr_0}{2}\right)}{r_0\sqrt{1 - qr_0}} - arctg\,\dfrac{\dfrac{qr_0}{2}}{\sqrt{1 - qr_0}}\right] \cong \dfrac{2 + qr_0}{1 - qr_0}\left(\dfrac{r}{r_0} - 1\right),$$

$$(2.6)$$

так как на $r \cong r_0$ и $qr_0 < 1$ аргументы и функции (касательные)

малы и приблизительно равны друг другу (например,

$$\frac{qr_0}{2}\Big/\sqrt{1-qr_0} \cong \frac{qr_0/2}{1-\dfrac{qr_0}{2}} < 1$$, так как только в этом случае из

неравенства следует, что). $qr_0 < 1$

Таким образом, выполнив все промежуточные преобразования, мы получаем

$$\ln\left[\frac{\left(\dfrac{r}{r_0}\right)^2 - qr_0}{1-qr_0}\right] \cong -\frac{2+qr_0}{1-qr_0}\left(\frac{r}{r_0}-1\right) + \frac{2m\gamma\tau}{r_0^2} \qquad (2.7)$$

и

$$\frac{\left(\dfrac{r}{r_0}\right)^2 - qr_0}{1-qr_0} \cong \exp\left[\frac{2m\gamma\tau}{r_0^2} + \frac{2+qr_0}{1-qr_0}\left(1-\frac{r}{r_0}\right)\right]. \qquad (2.8)$$

Легко видеть, что когда $q = 0$ и отношение r/r_0 несколько больше единицы, последнее уравнение превращается в простой экспоненциальный закон роста, который мы установили ранее (см. выражение (1.35)) для случая "свободной" миграции границ (при отсутствии силового сопротивления со стороны включений).

Пренебрегая вторым членом в экспоненте уравнения роста (случай крайне медленного роста, когда r/r_0 лишь немного превышает единицу), мы приходим к следующему выражению закона, более простому по форме и описывающему поведение зерен в условиях сформировавшейся почти однородной структуры:

$$\frac{\left(\dfrac{r}{r_0}\right)^2 - qr_0}{1-qr_0} \cong \exp\left(\frac{2m\gamma\tau}{r_0^2}\right). \qquad (2.9)$$

Учитывая, что для достаточно больших r_0 и относительно короткой временной базы τ экспонента уравнения (2.9) существенно мала (по крайней мере, меньше единицы), это уравнение можно привести к еще более компактному виду. Действительно, используя приближенное соотношение $\exp\left(\dfrac{2m\gamma\tau}{r_0^2}\right) \cong 1 + \dfrac{2m\gamma\tau}{r_0^2}$, а также то, что при наших условиях $1 - qr_0 \cong 1/(1 + qr_0)$, нетрудно получить в рассматриваемом случае рабочее соотношение, адекватное выражению (2.9)

$$r = r_0\left[1 + \frac{2m\gamma\tau}{r_0^2(1 + qr_0)}\right]^{1/2} \cong r_0\exp\left(\frac{m\gamma\tau}{r_0^2 + qr_0^3}\right), \ (2.10)$$

с учетом коэффициента включения q. Чем больше этот коэффициент, тем медленнее изменяется r, а следовательно, и изменение приведенного текущего размера кубического (или реального) зерна.

Уравнение (2.10), по сути, отражает полукубический закон роста зерна при наличии "тормозящего" влияния примесных частиц. Чтобы убедиться в этом, приведем приближенный экспоненциальный закон роста (2.10) к обобщенному виду $r \cong r_0\exp(k\tau)$, где k - "крутизна" экспоненты, определяющая кинетику процесса. Тогда для $k\tau < 1$ $(k = (m\gamma)/(r_0^2 + qr_0^3))$

$$m\gamma\tau \cong \frac{r_0^2(1 + 2k\tau - 1)}{2} + q\frac{r_0^3(1 + 3k\tau - 1)}{3} \cong \frac{r^2 - r_0^2}{2} + q\frac{r^3 - r_0^3}{3}. \quad (2.11)$$

Последнее выражение характеризует неполный кубический закон роста в присутствии нерастворимых примесей, равномерно распределенных в матрице.

2.1.2 Замедление границ зерен движущимися частицами второй фазы

Как мы только что видели, частицы избыточной фазы могут служить фиксаторами границ, если движущая сила миграции (сила Лапласа) меньше эффективного значения силы сопротивления "соскальзыванию" границ с включений. Однако если размер примесных включений (или частиц избыточных фаз) не очень велик, то последние могут быть заметно захвачены границами в процессе их миграции. На возможность захвата частиц мигрирующими границами впервые указал Смит [35]. Теоретические аспекты такого поведения включений подробно проанализированы в [36]. Как отмечается в этой работе, движение сферических частиц вместе с границами может быть, в частности, связано с диффузионными потоками вакансий от одной части поверхности сферы к другой. Соответствующая скорость такого движения задается

$$v \approx \frac{\mathrm{D}\omega}{\mathrm{kT}} \cdot \frac{P}{\rho^3 n_s} , \text{ (2.12)}$$

где D - коэффициент объемной диффузии в матричной фазе; ω - атомный объем; k - постоянная Больцмана; T - температура в Кельвинах; ρ - радиус частицы; P - движущая сила миграции свободной границы; n_S - поверхностная плотность частиц.

Скорость v , согласно (2.12), определяется только общим объемом частиц на единицу площади поверхности границы и не меняется в процессе их коалесценции.

Далее мы рассмотрим кинетику миграции границ зерен, приняв в качестве исходной посылки соотношение (2.12). Поскольку в этом случае второе основное уравнение для движущей силы сохраняет свой вид, то, с учетом уравнения-связки (1.17) из раздела 1.2, движущая сила миграции, задаваемая двойной кривизной границы зерна, имеет тот же вид, что и в [14] (но с измененным численным коэффициентом)

$$P_\gamma = \frac{2\gamma}{r}\left(\frac{r^2 - ar + b^2}{b^2}\right) \qquad \text{(2.13)}$$

(кубическая модель).

Пусть частицы расположены только на границах зерен. Тогда общее решение дифференциального уравнения роста $dr/d\tau = f(r)$ можно представить в виде

$$\int\limits_{r_0}^{r} \frac{r^2 dr}{r^2 - ar + b^2} = \alpha \frac{D\omega}{kT} \cdot \frac{4\pi\gamma\tau}{b^2\beta}, \quad (2.14)$$

где $\beta = 4/3\pi\rho^3 n_v$ - объемная доля частиц второй фазы, а n_V - объемная плотность таких частиц $\left(n_s = \frac{2}{3}n_v r \; [5] \right)$; α - коэффициент пропорциональности порядка единицы.

Интеграл в левой части полученного уравнения можно легко свести к следующему выражению:

$$\int\limits_{r_0}^{r} \frac{r^2 dr}{r^2 - ar + b^2} = r - r_0 + \frac{a}{2}\ln\frac{r^2 - ar + b^2}{r^2 - ar_0 + b^2} + $$
$$+ \left(\frac{a}{2} - b^2\right)\int\limits_{r_0}^{r} \frac{dr}{r^2 - ar + b^2} \qquad . \qquad (2.15)$$

Мы снова рассмотрим случай почти однородной структуры, когда $r_0 \cong a/2$ и $a \cong \sqrt{2}b$.

Тогда общее решение дифференциального уравнения для роста зерен принимает следующий частный вид (с учетом (2.15)):

$$r - r_0 + r_0 \ln\frac{r^2 - 2rr_0 + 2r_0^2}{r_0^2} = 2\alpha\pi\frac{D\omega}{kT} \cdot \frac{\gamma\tau}{r_0^2\beta} . \quad (2.16)$$

Если предположить, что состояние практически однородной структуры соответствует достаточно большому размеру исходного зерна, то в связи с тем, что в заметном интервале времени роста $r \cong r_0$, в итоге получаем

$$r = r_0 \exp\left(\frac{\alpha \pi D \omega \gamma \tau}{r_0^3 \beta k T}\right) . \ (2.17)$$

Эта форма экспоненциального закона роста заметно отличается от экспоненциального выражения (2.10) и, прежде всего, отсутствием квадратичного члена размерности (r_0^2) в экспоненте. Последнее обстоятельство позволяет утверждать, что при определенных условиях экспоненциальный закон роста (2.17) может быть сведен к чисто кубическому закону. Действительно, пусть $\frac{n\gamma\tau}{r_0^3 \beta} << 1$ (здесь $n = \frac{\alpha \pi D \omega}{kT}$), что всегда будет иметь место, если r_0 достаточно велико и объемная доля частиц β значительна (с не очень большой временной базой τ).

Тогда $r^3 \cong r_0^3\left(1 + \frac{3n\gamma\tau}{r_0^3 \beta}\right)$

или

$$r^3 - r_0^3 \cong \frac{3n\gamma\tau}{\beta} . \ (2.18)$$

Интересно отметить, что последнее выражение находится в полном согласии с (чисто эмпирическим) утверждением Бека о том, что примесные частицы обычно заменяют параболический закон роста кубическим [12].

Отметим также, что экспоненты (точнее, коэффициенты при τ) в выражениях (2.10) и (2.17) могут быть использованы для расчета энергетических (активационных) параметров граничной миграции при наличии эффекта "замедления" (в системах с включениями частиц второй фазы [37]).

2.2 Колониальный рост зерен в присутствии частиц избыточных фаз

2.2.1 Прямой и обратный рост колонии зерен в присутствии неподвижных частиц [32]

Теоретическому рассмотрению колониального роста зерен посвящено значительное число серьезных работ (например, [38]). Однако практически во всех таких работах рост пластинчатых зерен связывался с диффузионным перераспределением элементов впереди фронта роста или механизмом полиморфного превращения, т.е. с теми элементарными физическими процессами, которые определяют микроскопическую подвижность фронта граничной реакции. При этом фактически не учитывались зернограничные и межфазные свободные энергии пластинчатой колонии, стимулирующие или замедляющие ее продольный рост. Кроме того, совершенно не учитывалось влияние дисперсных частиц второй фазы на такой рост. Анализ такого влияния представляет значительный теоретический интерес, поскольку позволяет объяснить особенности морфологии формирующейся структуры с учетом характера распределения самих избыточных частиц. Настоящее исследование проведено с целью теоретической оценки роли фактора неподвижных дисперсных включений второй фазы в процессе перемещения фронта соединения колониальной группы зерен, как на стадии искривления граничных сегментов (стадия нестационарного роста), так и при движении этого фронта вдоль тройных стыков соседних пластинчатых зерен (стадия стационарного роста). При этом, следуя работам [25, 31, 39], предполагалось, что микроскопическая подвижность фронта роста задана заранее, а все нюансы его движения обусловлены энергией различных интерфейсов, которая определяет как движущие силы роста колоний, так и силы сопротивления этому процессу.

Пусть основная движущая сила фронта роста в однофазной среде имеет упругую природу, а значит, рассмотрению подлежит

106

простейший (с точки зрения математических оценок) случай распространения фронта рекристаллизации. В этом случае растущие пластинчатые (столбчатые) зерна колонии разрушают параллельные "стенки" дислокаций полигональной структуры (а также отдельные дислокационные группы), блокированные дисперсными частицами избыточной фазы.

На рисунке 2.1 представлена схема поперечного сечения элементарной двухзерновой колонии. Согласно ей, $H = H_0 + h$ - начальная длина пластинчатого зерна, а h и r - максимальные высота и радиус отдельного кругового сегмента фронта роста границы. Конфигурацию фронта, показанную на рисунке, можно считать начальной, если вдоль него выполняются следующие условия: $\theta = 120^0$ (θ - двугранный угол тройного граничного стыка) и $r_0 = L$ (то есть все поверхностные напряжения в каждой точке тройного стыка уравновешены). Здесь L - ширина фронта сегмента.

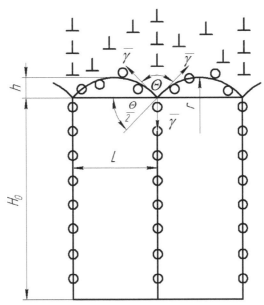

Рисунок 2.1 - Схема двухзернистой колонии (в нормальном сечении), которая под действием движущей силы упругой природы перерастает в деформированную матрицу.

107

Скорость продольного роста пластинчатых зерен колонии определяется выражением

$$\frac{dH}{d\tau} = \frac{dh}{d\tau} = mP_{\Sigma}, \quad (2.19)$$

где m - микроскопическая подвижность; P_{Σ} - результирующая сила миграции.

Легко видеть (рис. 2.1), что, как и в разделе 1.4, высота h связана с кривизной кругового сегмента r соотношением $h = r\left[1 - \sqrt{1 - \left(\frac{L}{2r}\right)^2}\right]$ (1.63), которое в силу того, что $\frac{L}{2r} < 1$ (потому что $\theta > 0^0$, и $\frac{L}{2r} = \left|\cos\frac{\theta}{2}\right|$) можно заменить приближенным выражением $h \cong \frac{L^2}{8r}$ (1.64), полученным путем разложения (1.63) в биномиальный ряд и отбрасывания всех его членов высоких порядков малости, начиная со второго.

Результирующая движущая сила, действующая на каждый сегмент фронта роста границы, может быть представлена в виде суммы

$$P_{\Sigma} = P - \frac{2\gamma}{r} + \frac{2\gamma}{r}\varepsilon_1, \quad (2.20)$$

где P - упругая движущая сила; $\frac{2\gamma}{r}$ - сила Лапласа замедления кривизны сегмента в направлении уменьшения его радиуса (γ - энергия границы зерна), а $\frac{2\gamma}{r}\varepsilon_1$ - дополнительная движущая сила роста, обусловленная термодинамически благоприятным увеличением числа частиц на цилиндрической сегментной полосе фронта с уменьшением радиуса кривизны. Здесь $\varepsilon_1 = n_S\pi\rho^2$ (n_S - поверхностная плотность избыточных сферических частиц дисперсной фазы; ρ - радиус отдельной частицы). Эта безразмерная величина определяет среднюю долю приращения площади полосы пограничного сегмента, замещенную сечениями сфероидальных частиц (в данном случае $0 \leq 2\varepsilon_1 < 1$).

Учитывая, что $dh = -\dfrac{L^2}{8r} dr$ и $dh > 0$, выражение (2.19) можно привести к виду дифференциального уравнения (относительно переменного параметра r)

$$\frac{dr}{d\tau} = \frac{16m\gamma}{L^2} r\left(\frac{P}{2\gamma} r - 1 + \varepsilon_1 \right), \ (2.21)$$

откуда мы имеем решение в виде следующего интегрального выражения:

$$\int_{r_0}^{r} \frac{dr}{r(ar - 1 + \varepsilon_1)} = \frac{b}{L^2}\tau \ .$$
$$(2.22)$$

Здесь , $a = \dfrac{P}{2\gamma}$ $b = 16m\gamma$ и интервал интегрирования по времени (τ) включали нулевую точку.

Проинтегрировав (2.22) и используя (1.64), мы получим следующую зависимость h от времени:

$$h(\tau) = \frac{L^2}{8(1 - \varepsilon_1)}\left[a + \left(\frac{1 - \varepsilon_1}{L} - a \right)e^{-\frac{b}{L^2}(1-\varepsilon_1)\tau} \right]. \quad (2.23)$$

Проверка (2.23) на соответствие граничным условиям времени дает: $h(0) = \dfrac{L}{8}$, т.е. $r = r_0 = L$ и $h(\infty) = \dfrac{L^2}{8(1 - \varepsilon_1)} \cdot \dfrac{P}{2\gamma} = \dfrac{L^2 P}{16\gamma(1 - \varepsilon_1)}$, откуда, с учетом (1.64), имеем $P + \dfrac{2\gamma}{r}\varepsilon_1 = \dfrac{2\gamma}{r}$ (баланс движущих сил и сил сопротивления).

109

Таким образом, соотношение (2.23) полностью удовлетворяет физической реальности.

Взяв производную (2.23) по времени, получим выражение для скорости нестационарного увеличения высоты граничного сегмента с закрепленными концами (тройные стыки соседних зерен)

$$\upsilon_{_н} = \frac{dh}{d\tau} = m\left[P - \frac{2\gamma}{L}\left(1 - \varepsilon_1\right)\right]e^{-\frac{b}{L^2}(1-\varepsilon_1)\tau}. \tag{2.24}$$

При дальнейшем искривлении граничных участков фронта роста движущая сила, действующая на тройные переходы, возрастает и дает зависимость вида (в зависимости от радиуса r)

$$P_{junct} = \frac{\gamma}{L}\left(2\cos\frac{\theta}{2} - 1\right) + \frac{\gamma}{L}\varepsilon_2 = \frac{\gamma}{r} - \frac{\gamma}{L}\left(1 - \varepsilon_2\right), \tag{2.25}$$

где L^{-1} - примерное число полос граничных переходов на единицу длины фронта колонии (т.е. плотность столбчатых зерен); $\frac{\gamma}{L}\varepsilon_2$ - дополнительная движущая сила миграции фронта реакции, связанная с некоторым термодинамическим выигрышем при попадании сферических частиц на плоскую границу раздела двух соседних пластин растущей колонии (ε_2 имеет тот же смысл, что и ε_1; кроме того, в общем случае,). $2\varepsilon_1 \neq \varepsilon_2 < 1$

Составим уравнение баланса для движущих сил, действующих на сегменты граничного фронта и его тройные переходы

$$P - \frac{2\gamma}{r} + \frac{2\gamma}{r}\varepsilon_1 = \frac{\gamma}{r} - \frac{\gamma}{L}\left(1 - \varepsilon_2\right). \tag{2.26}$$

Теперь, учитывая (2.23)), а также $\frac{L}{2r} = \left|\cos\frac{\theta}{2}\right|$, находим пороговый радиус r_{th} , пороговый двугранный угол θ_{th} и пороговое время τ_{th} , которые будут определять момент включения в миграционный процесс (начало стационарного процесса) и сами межзеренные спаи:

$$r_{th} = \frac{(3 - 2\varepsilon_1)\gamma}{P + \frac{\gamma}{L}(1 - \varepsilon_2)}, \ (2.27)$$

$$\theta_{th} = 2\arccos\frac{aL + \frac{1}{2}(1 - \varepsilon_2)}{3 - 2\varepsilon_1}, \ (2.28)$$

$$\tau_{th} = \frac{L^2}{b(1 - \varepsilon_1)}\ln\left[\frac{(3 - 2\varepsilon_1)(1 - \varepsilon_1 - aL)}{(1 - \varepsilon_1)(1 - \varepsilon_2) - aL}\right] \qquad (2.29)$$

(в последнем выражении для удобства мы снова используем введенные ранее обозначения a и b). Одновременно был взят сайт $(aL)_{\max} = 2 \div 2,5$.

Подставив (2.27) в исходное уравнение (2.19) с учетом (2.20), получим выражение для скорости роста колонии в условиях стационарного процесса

$$\upsilon_{st} = \frac{m}{3 - \varepsilon_1}\left[P - \frac{2\gamma}{L}(1 - \varepsilon_1)(1 - \varepsilon_2)\right]. \qquad (2.30)$$

Здесь важно отметить, что в случае стационарного перемещения всего композитного (многосегментного) фронта роста необходимо учитывать ε_1, поскольку с точки зрения физики явления процесс миграции фронта следует рассматривать как поочередную (поэтапную) активацию двух микропроцессов. То есть происходит некоторое дополнительное искривление сегментов, приводящее к увеличению их длины, и последующее перемещение стыков, которое также вызывает увеличение длины (в разрезе), но уже для плоских границ, разделяющих соседние пластинки-зерна колониальной группы. Кстати, именно это удлинение плоских границ и создает результирующую силу сопротивления движению стыков в направлении вектора роста $\frac{\gamma}{L}(1 - \varepsilon_2)$.

Если теперь подставить выражение для τ_{th} (2.29) в соотношение (2.24), то снова получится выражение (2.30), которое позволяет говорить о совпадении обоих темпов роста (нестационарного и стационарного) в пороговой временной точке. Это означает, что кривая изменения h не имеет изломов во времени (иными словами, процесс роста, включающий обе стадии, описывается единой гладкой кривой с отрицательной кривизной, так как $\dfrac{d^2 h}{d\tau^2} < 0$).

Теперь рассмотрим случай, когда движущая сила упругой природы отсутствует (т.е. $P=0$), а все остальные не меняют характера своего действия. Для этой ситуации мы имеем систему соотношений, описывающих процесс однонаправленной коллективной рекристаллизации:

$$\left.\begin{array}{l} h = \dfrac{L}{8} e^{-\frac{b}{L^2}(1-\varepsilon_1)\tau} \; ; r^2 - L^2 \cong 2b(1-\varepsilon_1)\tau, \\[2mm] \text{at}\ \dfrac{2b(1-\varepsilon_1)}{L^2}\tau < 1; \\[4mm] \upsilon_{nonst} = -\dfrac{2m\gamma(1-\varepsilon_1)}{L} e^{-\frac{b}{L^2}(1-\varepsilon_1)\tau}\ (dh < 0); \\[4mm] r_{th} = \dfrac{(3-2\varepsilon_1)L}{1-\varepsilon_2}; \\[4mm] \tau_{th} = \dfrac{L^2}{b(1-\varepsilon_1)} \ln\left[\dfrac{3-2\varepsilon_1}{1-\varepsilon_2}\right]; \\[4mm] \upsilon_{st} = -\dfrac{2m\gamma}{(3-2\varepsilon_1)}(1-\varepsilon_1)(1-\varepsilon_2) \end{array}\right\}. \qquad (2.31)$$

Этот случай чрезвычайно интересен и с чисто практической точки зрения, поскольку позволяет определить факторы, препятствующие разрушению столбчатой структуры (в результате коллективной перекристаллизации), получаемой при направленной кристаллизации слабонеоднородного материала.

Графики изменения τ_{th}, υ_{nonst} и υ_{st} от фактора ε (и времени для $\upsilon_\text{н}$) приведены на рис. 2.2. При их построении учитывались все варианты распределения частиц избыточной фазы: равномерное ($2\varepsilon_1$ $=\varepsilon_2$); преимущественно параллельное движению фронта границы раздела между растущим крупным плоским зерном и колонией "поглощенных" им пластинчатых зерен ($\varepsilon_1 \neq 0$; $\varepsilon_2 \cong 0$); и, наконец, преимущественно продольное распределение, параллельное вектору движения фронта границы ($\varepsilon_1 \cong 0$; $\varepsilon_2 \neq 0$). Отметим, что все эти зависимости носят преимущественно качественный характер и отражают некоторую общую тенденцию в поведении кинетических факторов в присутствии частиц избыточной фазы.

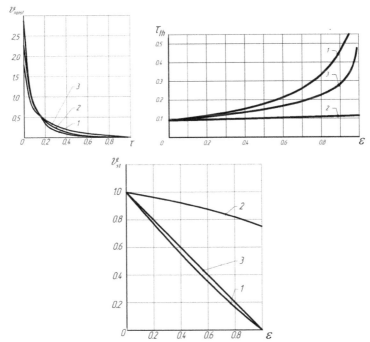

Рисунок 2.2 - Графики рассчитанных кинетических коэффициентов для случая обратного продольного роста колонии. Для кривых υ_{nonst} (τ) соответствуют следующие условия: 1 - ε_1 $=\varepsilon=0{,}10$; 2 - ε_1 $=\varepsilon=0{,}25$; 3 - ε_1 $=\varepsilon=0{,}4$. Для кривых τ_{th} (ε) и υ_{st} (ε) 1 соответствует следующим условиям: $2\varepsilon_1 =\varepsilon_2 =\varepsilon$; 2 - $2\varepsilon_1 =\varepsilon$ ($\varepsilon_2 \cong 0$); 3 - $\varepsilon_2 =\varepsilon$ ($\varepsilon_1 \cong 0$). Примечание: в расчетах принималось, что $m=1$; $P=0$; $\gamma=3$ и $L=2$ (все в условных единицах, что не нарушает размерных соотношений).

Как следует из анализа графиков, наличие дисперсных частиц второй фазы увеличивает пороговое время и снижает скорость распространения фронта коллективной рекристаллизации для обоих режимов устранения колоний пластинчатых зерен; причем степень этих изменений зависит как от величины ε, так и от характера распределения (равномерного или дискретного) частиц избыточной фазы. С точки зрения практических требований, присутствие частиц избыточной фазы в матричной среде с волокнистыми зернами, сформированными в условиях направленной кристаллизации, обеспечивает определенную стабилизацию такой структуры.

Учет фактора постоянной основной движущей силы упругой природы ($P{\neq}0$) приводит к заметному изменению характера зависимостей τ_{th} (ε), v_{nonst} (ε,τ) и v_{st} (ε) (рис. 2.3). Так, если v_{nonst} ведет себя примерно так же, как и в рассмотренном выше случае, то v_{st} для всех вариантов распределения частиц избыточной фазы только увеличивается. Пороговое время в зависимости от ε также ведет себя противоположно его поведению при коллективной рекристаллизации, что связано с более сложным характером действия всех движущих и противодействующих сил в анализируемой ситуации.

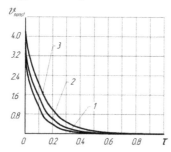 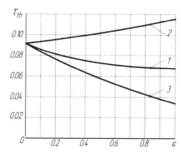

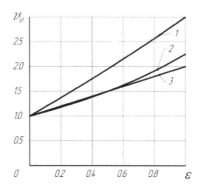

Рисунок 2.3 - Графики рассчитанных кинетических коэффициентов для случая прямого продольного роста колонии. Цифры на кривых имеют то же значение, что и на рисунке 2.2. Расчеты приведены в тех же условных единицах, которые указаны в примечании к рис. 2.2 (за исключением движущей силы Р, которая здесь имеет величину 6).

Таким образом, наличие дисперсных частиц избыточной фазы в слабогетерогенной металлической системе может слабо влиять на кинетику изменения ее структурного состояния при реализации определенных физических процессов, приводя к повышению термодинамической стабильности.

В заключение отметим одну интересную особенность формулы (2.30). В ней есть член, содержащий произведение двух переменных факторов - $\varepsilon_1 \cdot \varepsilon_2$. Это связано с тем, что при $\varepsilon_2 \neq 0$ частицы располагаются на линиях стыков колоний, которые одновременно относятся и к криволинейным участкам фронта роста, и к прямолинейным общим границам соседних зерен-пластин (в поперечном сечении колонии). Отрицательный знак этого произведения указывает на наличие сопротивления отделению линий стыка от расположенных вдоль них $\left(-\dfrac{2\gamma}{L}\varepsilon_1\varepsilon_2 \right)$ частиц при движении фронта колонии. Последнее вполне объяснимо, поскольку такое отделение приводит к локальному увеличению свободной энергии полос роста, расположенных на стыках, при их "скольжении" в режиме стационарного процесса.

115

2.2.2 Прямой и обратный рост колонии зерен в присутствии подвижных частиц [40, 41]

Известно, что металлический материал после холодной пластической деформации находится в термодинамически неустойчивом состоянии из-за увеличения количества дефектов в кристаллической структуре. С повышением температуры материал может снижать свою свободную энергию в результате перераспределения дефектов в кристаллической решетке и уменьшения их количества; в материале происходит процесс первичной рекристаллизации. Наличие в материале частиц избыточной фазы того или иного типа (неподвижных или тех, которые захватываются границей и перемещаются вместе с ней) приводит к усложнению процессов зернограничной миграции.

В данном подразделе сделана попытка оценить влияние "подвижных" включений (очень мелких, перемещающихся вместе с границей за счет диффузионного смещения их массы в теле границы в направлении вектора роста зерна однофазной колонии$\alpha_{def} \rightarrow \alpha$) на миграцию границ уже сформировавшихся рекристаллизованных зерен, имеющих пониженную плотность дислокаций ($=10 - 10\rho^{68}$ см$^{-2}$). Предполагалось, что за счет направленного отвода тепла вновь образующиеся зерна растут в виде колонии параллельных соседних пластин.

Как и ранее[32, 42-46] , рост колонии рекристаллизованных зерен в процессе превращения$\alpha_{def} \rightarrow \alpha$ рассматривался с использованием разработанной нами теоретической модели, представляющей собой совокупность пластинчатых зерен с определенной формой профиля равновесного фронта (круговые сегменты в сечении) и тройных стыков, уравновешенных на начальной стадии роста поверхностным натяжением (рис. 2.4). На этом рисунке, как и ранее, $H=H_0 +$h - начальная длина пластинчатого зерна, а *h* и *r* - максимальные высота и радиус отдельного кругового сегмента фронта граничного роста. Конфигурацию фронта, показанную на рис. 2.4, можно считать начальной (сбалансированной), если на нем выполняются следующие условия: $\theta = 120°$ (θ - двугранный угол тройного граничного стыка) и $r_0 = L$ (т. е. существует баланс всех поверхностных напряжений в каждой тройной точке стыков), L - ширина сегмента фронта роста. Напомним, что эта совокупность пластинчатых зерен растет в присутствии дисперсных "подвижных" сферических частиц.

В рассматриваемой модели учитывались различные движущие и тормозящие силы термодинамического происхождения, что позволило разделить процесс движения фронта на две стадии: стадию нестационарного роста (искривление граничных сегментов на фиксированных стыках зерен) и стадию стационарного роста (композитный граничный фронт колонии зерен движется вместе с тройными стыками соседних пластинчатых зерен). Согласно [31], предполагалось, что микроскопическая подвижность фронта роста задана заранее, а все особенности его движения обусловлены энергией различных интерфейсов, которая определяет как движущие силы роста колонии, так и силы сопротивления этому процессу.

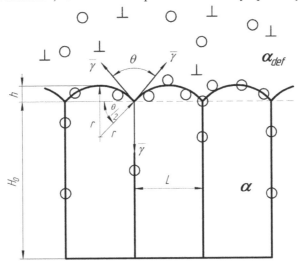

Рисунок 2.4 - Схема трехзернистой колонии (в нормальном сечении), которая перерастает в деформированную матрицу под действием движущей силы упругой природы.

117

Для оценки скорости движения любой границы вместе с дисперсными частицами было выбрано и улучшено уравнение из [36]:

$$\upsilon \cong \frac{D\omega}{kT} \cdot \frac{P_\Sigma}{\rho^3 n_S} = \frac{D\omega}{kT} \cdot \frac{P - \dfrac{2\gamma}{r}}{\rho^3 n_V r} , \ (2.32)$$

где D - коэффициент объемной самодиффузии; ω - атомный объем; ρ - радиус "движущейся" сферической приграничной частицы; n_S и n_v - поверхностная и объемная плотность таких включений соответственно; P_Σ - результирующая движущая сила; P - основная движущая сила упругой природы; $\dfrac{2\gamma}{r}$ - сила сопротивления Лапласа (γ - свободная энергия границ зерен); k - постоянная Больцмана; T - температура в Кельвинах.

Учитывая, что высота сегмента равна $h \cong \dfrac{L^2}{8r}$ (1.64), а также $dh = -\dfrac{L^2}{8r^2} dr > 0$ (так как dr<0 на нестационарной стадии роста при неподвижных стыках зерен) и $\upsilon = \dfrac{dh}{d\tau} > 0$, можно получить дифференциальное уравнение роста, связывающее dr и $d\tau$ (здесь τ - время). Решение этого уравнения в интегральной форме имеет вид

$$\int_{r_0}^{r} \frac{dr}{ar - 1} = -16 \frac{\gamma A}{L^2} \tau , \ (2.33)$$

где r_0 - начальная кривизна сегмента (в данном случае r_0 =L, так как в "стартовой позиции" все тройные соединения фронта колонии уравновешены напряжениями $\sum_{j=1}^{3} \overline{\gamma_j} = 0$) и, соответственно, двугранный угол θ для каждого такого соединения равен 120°);

$$A = \frac{D\omega}{kT\rho^3 n_V} \text{ и } a = \frac{P}{2\gamma} \; .$$

Проинтегрировав (2.33), получаем следующую зависимость радиуса кривизны сегмента от времени:

$$r = \frac{1}{a}\left[1 + (aL - 1)e^{-\frac{16\gamma a A \tau}{L^2}} \right]. \qquad (2.34)$$

Уравнение (2.34), как видно, удовлетворяет граничным условиям (начальному и конечному). Так, при $\tau = 0$ имеем $r = L = r_0$, а при $-\tau = \infty$ $P - \frac{2\gamma}{r} = 0$ (т.е. рост колонии зерен в нестационарном режиме полностью прекращается, как только сила сопротивления росту становится равной движущей силе, что в условиях "затухающего" процесса соответствует бесконечно большому времени).

Стационарный рост колонии зерен (одновременное движение сегментов фронта колонии вместе с ее тройными стыками) начнется в тот момент, когда результирующая движущая сила, действующая на сегменты фронта, уравновесится с такой же силой для ее тройных стыков. Движущая сила, действующая на стыки, соответствует выражению

$$P_{junct} = \frac{\gamma}{L}\left(2\cos\frac{\theta}{2} - 1 \right) + \frac{\gamma}{L}\varepsilon_2. \qquad (2.35)$$

С учетом того, что $\cos\frac{\theta}{2} = \frac{L}{2r}$, соответствующее уравнение баланса примет вид

$$P - \frac{2\gamma}{r} = \frac{\gamma}{r} - \frac{\gamma}{L}\left(1 - \varepsilon_2\right), \; (2.36)$$

где ε_2 - фактор включений (доля продольных плоских границ зерен колонии, которая исключается из рассмотрения при попадании на них включений избыточной фазы, т.е. $\varepsilon_2 = \pi\rho^2 n_S$); L^{-1} - примерное число полос граничных переходов на единицу длины фронта колонии (или плотность пластинчатых зерен); $\dfrac{\gamma}{L}\varepsilon_2$ - дополнительная движущая сила миграции фронта реакции, связанная с некоторым термодинамическим выигрышем при попадании сферических частиц на плоскую границу раздела двух соседних пластин растущей колонии).

Из выражения (2.36) получаем зависимость для порогового радиуса кривизны сегмента, при достижении которого начинается стационарный процесс роста

$$ r_{th} = \frac{3\gamma}{P + \dfrac{\gamma}{L}\left(1 - \varepsilon_2\right)} . \tag{2.37}$$

Далее, используя выражения (2.35) и (2.37), получаем соотношение для порогового времени τ_{th} , которое определяет момент включения в процесс миграции самих межзеренных стыков (начало стационарного процесса). В это выражение также специально введен коэффициент включения для цилиндрических сегментированных полос ε_1 , который имеет тот же физический смысл, что и коэффициент ε_2 (при этом). $\varepsilon_1 = 10\rho^3 n_v$

$$ \tau_{th} = \frac{L^2 \varepsilon_1}{160\gamma a A*} \ln\left[\frac{2aL - \varepsilon_2 + 1}{aL + \varepsilon_2 - 1}\left(aL - 1\right)\right], \tag{2.38}$$

где $A* = \dfrac{D\omega}{kT}$.

Поскольку в рассматриваемом случае существует зависимость

$$h(\tau) = \frac{L^2}{8} \cdot \frac{a}{1 + (aL - 1)e^{-\frac{\beta a}{L^2 \varepsilon_1}\tau}} \qquad (2.39)$$

(здесь $\beta = 160\gamma A*$), то изменение скорости нестационарного процесса во времени (до порогового момента) запишется как

$$\upsilon_{nonst} = \frac{dh(\tau)}{d\tau} = \frac{20}{\varepsilon_1} \cdot \frac{a^2(aL - 1)\gamma A* e^{-\frac{\beta a}{L^2 \varepsilon_1}\tau}}{\left[1 + (aL - 1)e^{-\frac{\beta a}{L^2 \varepsilon_1}\tau}\right]^2}. \qquad (2.40)$$

При $\tau = \tau_{th}$ стационарный процесс перемещения всего колониального фронта в целом начинается со скоростью, которая определяется выражением, полученным при подстановке (2.37) в (2.32)

$$\upsilon_{st} = \frac{20}{9} \cdot \frac{A*\gamma}{L^2 \varepsilon_1}(2aL - \varepsilon_2 + 1)(aL + \varepsilon_2 - 1). \qquad (2.41)$$

Отметим, что соотношения (2.37), (2.38), (2.40), (2.41), а также $\theta_{th} = 2arccos\frac{L}{2r_{th}}$ (пороговый угол тройного стыка зерен) являются функциями не только численных значений коэффициентов включений ε_1 и ε_2 ($0 < \varepsilon_1 \leq 1$ и $0 \leq \varepsilon_2 \leq 1$), но и характеризуют изменение их аналитической формы (например, (2.38) и (2.41)) в зависимости от характера распределения включений (равномерное ($=\varepsilon_1\varepsilon_2$), преимущественно поперечное ($\varepsilon_1 \neq 0$; $\varepsilon_2 \cong 0$) и неоднородное, если $\varepsilon_1 = 0,5$; $=\varepsilon_2\varepsilon$ или $=$; $\varepsilon_1\varepsilon\varepsilon_2 = 0,5$)). На рис. 2.5 показано влияние временных факторов и "подвижных" включений на кинетические коэффициенты υ_{nonst}, τ_{th} и υ_{st} прямого продольного роста колонии однотипных зерен.

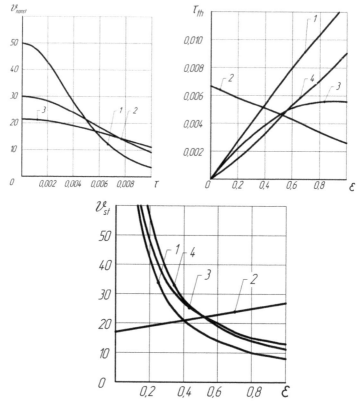

Рисунок 2.5 - Зависимости нестационарной скорости роста, порогового времени и стационарной скорости роста колонии однофазных зерен в присутствии "подвижных" включений. Для кривых v_{nonst} (τ): 1 - $\varepsilon_1 = \varepsilon = 0,30$; 2 - $\varepsilon_1 = \varepsilon = 0,5$; 3 - $\varepsilon_1 = \varepsilon = 0,7$. Для кривых τ_{th} (ε) и v_{st} (ε): 1 - $\varepsilon_1 = \varepsilon$; $\varepsilon_2 = 0$; 2 - $\varepsilon_1 = 0,5$; $\varepsilon_2 = \varepsilon$; 3 - $\varepsilon = \varepsilon_{12} = \varepsilon$; 4 - $\varepsilon_1 = \varepsilon$; $\varepsilon_2 = 0,5$. При расчете принималось, что $\gamma = 3$, $L = 2$, $P = 6$, $A^* = 1$ (все в условных единицах, что не нарушает размерных отношений)

Представленные графические зависимости были проанализированы. Можно утверждать, что "подвижные" частицы эффективно снижают скорость роста колонии зерен на нестационарной стадии роста v_{nonst} (т.е. замедляют процесс искривления граничных участков фронта реакции), тем самым увеличивая пороговое время τ_{th} . Это связано со сложностью прохождения диффузионных процессов, благодаря которым частица избыточной фазы получает возможность перемещаться вместе с границей. Кривые стационарной скорости роста v_{st} изменяются по-разному, в зависимости от характера распределения избыточных включений. Случай увеличения стационарной скорости роста при постоянном числе частиц на круговых сегментах ($\varepsilon_1 = 0{,}5$) и переменном коэффициенте ε_2 объясняется эффективным уменьшением поверхностной энергии граничных сегментов фронта роста за счет увеличения числа включений на них. Уменьшение стационарной скорости роста в остальных случаях ($\varepsilon_1 = \varepsilon$, $\varepsilon_2 = 0$; $\varepsilon_1 = \varepsilon_2 = \varepsilon$ и $\varepsilon_1 = \varepsilon$; $\varepsilon_2 = 0{,}5$), несмотря на увеличение числа частиц на круговых (в поперечном сечении) сегментах (и, как следствие, уменьшение поверхностной энергии), объясняется усложнением природы диффузионных процессов при движении "подвижных" частиц, число которых все время увеличивается.

Таким образом, на основании вышеизложенного можно утверждать, что "подвижные" включения избыточной фазы позволяют обеспечить высокий уровень ориентации колониальной структуры на стадии ее формирования.

Теперь рассмотрим процесс обратного роста зерна в присутствии подвижных включений.

Любой металлический материал после завершения первичной рекристаллизации находится в относительно стабильном термодинамическом состоянии с пониженной свободной энергией. Но в то же время, благодаря развитой поверхности границ зерен, система обладает несколько повышенной зернограничной энергией. При благоприятных условиях (достаточно высоких температурах) происходит процесс, называемый коллективной "рекристаллизацией", который приводит к уменьшению длины границ зерен (в поперечном сечении) и, соответственно, к уменьшению поверхностной свободной энергии. Наличие в материале частиц избыточной фазы может привести к заметному замедлению или полному прекращению миграции границ зерен. Ниже мы оценим влияние "подвижных" включений на миграцию высокоугловых границ при развитии коллективной рекристаллизации.

На рис. 2.6 показан фрагмент совокупности пластинчатых зерен α -фазы с контактирующим с ним крупным зерном, которое растет (двумерная модель). Фронт роста (в поперечном сечении), как и прежде, представляет собой кольцевые сегменты, соединенные тройными переходами, поверхностные натяжения которых на начальном этапе уравновешены. Обозначения на рис. 2.6 соответствуют приведенным на рис. 2.4. Указанную конфигурацию фронта роста можно считать начальной, если вдоль него выполняются условия равновесия всех поверхностных напряжений в каждой точке тройного перехода: θ =120° и r_0 =L.

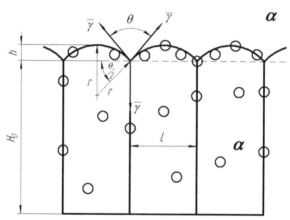

Рисунок 2.6 - Схема трехзернистой колонии (в нормальном сечении), которая разрушается из-за поглощения ее крупным зерном под действием силы Лапласа.

Процесс движения фронта роста, как указывалось выше (см. также[32, 42-46]), был разделен на две стадии: нестационарный и стационарный рост, а микроскопическая подвижность фронта роста считалась предопределенной [31].

Согласно уравнению [36], скорость движения любой границы вместе с дисперсными частицами равна

$$\upsilon \cong \frac{D\omega}{kT} \cdot \frac{P}{\rho^3 n_S} = \frac{D\omega}{kT} \cdot \frac{-\dfrac{2\gamma}{r}}{\rho^3 n_V r}. \tag{2.42}$$

Учитывая, что $h \cong \dfrac{L^2}{8r}$ (1.64) и $dh = -\dfrac{L^2}{8r^2}dr < 0$ (поскольку $dr > 0$

находится в нестационарной фазе роста с неподвижными стыками

зерен) и $\upsilon = \dfrac{dh}{d\tau} < 0$, легко получить дифференциальное уравнение

роста, связывающее dr и $d\tau$. Решение этого уравнения в интегральной

форме имеет вид

$$\int\limits_{r_0}^{r} dr = 16\frac{\gamma A}{L^2}\tau , \tag{2.43}$$

где r_0 и A имеют тот же смысл, что и в выражении (2.33).

Проинтегрировав (2.43), получаем следующую зависимость радиуса кривизны сегмента от времени:

$$r = L + \frac{16A\gamma}{L^2}\tau . \tag{2.44}$$

Уравнение (2.44) удовлетворяет граничным условиям (начальным и конечным): для $\tau = 0$ имеем $r = L = r_0$, а для $\tau = \infty$ - $r = \infty$.

Стационарный рост колонии зерен начинается в тот момент, когда результирующая движущая сила, действующая на сегменты фронта, уравновешивается такой же силой для его тройных стыков. Движущая сила, действующая на стыки, может быть представлена выражением

$$P_{junct} = \frac{\gamma}{L}\left(2\cos\frac{\theta}{2} - 1\right) + \frac{\gamma}{L}\varepsilon_2 . \tag{2.45}$$

С учетом того, что $\cos\dfrac{\theta}{2}=\dfrac{L}{2r}$, уравнение баланса будет иметь вид

$$-\frac{2\gamma}{r}=\frac{\gamma}{r}-\frac{\gamma}{L}\left(1-\varepsilon_2\right), \quad (2.46)$$

где ε_2 - коэффициент включений (как указано выше). $\varepsilon_2=\pi\rho^2 n_S$

Зависимость для порогового радиуса кривизны сегмента, при достижении которого начинается стационарный процесс роста, получена из (2.46)

$$r_{th}=\frac{3L}{1-\varepsilon_2}. \qquad (2.47)$$

Используя выражения (2.45) и (2.47), получим соотношение для порогового времени τ_{th}

$$\tau_{th}=\frac{L^2\varepsilon_1\left(2+\varepsilon_2\right)}{160A*\gamma\left(1-\varepsilon_1\right)}, \quad (2.48)$$

где $A*=\dfrac{D\omega}{kT}$, а ε_1 - коэффициент включений для цилиндрических сегментных полос, $\varepsilon_1=10\rho^3 n_v$.

Поскольку в рассматриваемом случае

$$h=\frac{1}{8}\cdot\frac{L^4}{L^3+\dfrac{160\gamma A^*}{\varepsilon_1}\tau}, \quad (2.49)$$

тогда выражение для скорости нестационарного процесса во времени имеет вид

126

$$\upsilon_{nonst} = -20 \frac{L^4 A^* \gamma \varepsilon_1}{\left(L^3 \varepsilon_1 + 160 A^* \gamma \tau\right)^2}. \qquad (2.50)$$

При достижении $\tau = \tau_{th}$ начинается стационарный процесс перемещения всего фронта роста композита со стационарной скоростью, выражение для которого можно получить, подставив (2.47) в (2.42)

$$\upsilon_{st} = -\frac{20}{9} \cdot \frac{A^* \gamma}{L^2 \varepsilon_1} \left(1 - \varepsilon_2\right)^2. \qquad (2.51)$$

На рисунке 2.7 показано влияние временных факторов и "подвижных" включений на кинетические коэффициенты τ_{th} и υ_{st} обратного продольного роста колонии.

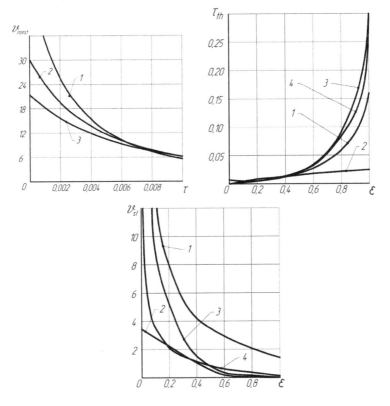

Рисунок 2.7 - Зависимости нестационарной скорости роста, порогового времени и стационарной скорости роста обратного продольного роста колонии однофазных зерен (коллективный процесс) в присутствии "подвижных" включений. Для кривых v_{nonst} (τ): 1 - $\varepsilon_1 = \varepsilon = 0,30$; 2 - $\varepsilon_1 = \varepsilon = 0,5$; 3 - $\varepsilon_1 = \varepsilon = 0,7$. Для кривых τ_{th} (ε) и v_{st} (ε): 1 - $\varepsilon_1 = \varepsilon$; $\varepsilon_2 = 0$; 2 - $\varepsilon_1 = 0,5$; $\varepsilon_2 = \varepsilon$; 3 - $\varepsilon = \varepsilon_{12} = \varepsilon$; 4 - $\varepsilon_1 = \varepsilon$; $\varepsilon_2 = 0,5$. Принято, что $\gamma = 3$, $L = 2$, $A^* = 1$ (все в условных единицах, что не нарушает размерных отношений).

Анализ представленных зависимостей (рис. 2.7) позволяет сделать вывод, что при любом характере распределения включений и изменении их количества как нестационарная (v_{nonst}), так и стационарная (v_{st}) скорости роста только уменьшаются, а пороговая характеристика τ_{th}, напротив, всегда только увеличивается. Тормозящее влияние частиц избыточных фаз на процесс миграции границ зерен объясняется затруднением прохождения диффузионных процессов, необходимых для движения включений вместе с границей зерна, а также относительно слабым влиянием движущей силы Лапласа.

Таким образом, можно утверждать, что "подвижные" включения избыточной фазы стабилизируют колониальную структуру, значительно ослабляя обратный (коллективный) рост зерен колонии.

2.3 Продольно-поперечный ("веерный") рост колоний столбчатых зерен в присутствии подвижных частиц второй фазы [47].

В разделе 1.5 (см. [30]) были рассмотрены некоторые особенности рекристаллизационного роста столбчатых (пластинчатых) колоний веерного типа. Предполагалось, что среда распространения фронта реакции является предельно однородной (без примесей). Однако в реальных условиях движение сложного фронта веерной колонии сопровождается преодолением препятствий в виде растворенных атомов сопутствующих или технологических примесей. Со временем концентрация таких примесей на границе фронта роста становится перенасыщенной, что приводит к появлению особо дисперсных частиц избыточных фаз. Поскольку такие частицы практически всегда движутся вместе с фронтом границы [44], это обстоятельство затрудняет процесс роста и изменяет форму соответствующих кинетических уравнений.

В данном разделе мы сосредоточимся именно на этих особенностях продольно-поперечного роста однофазной колонии, предполагая, что составная внешняя граница колонии веерного типа уже на начальной стадии роста содержит очень мелкие частицы, которые могут двигаться вместе с ней чисто диффузионным путем, создавая некий сопутствующий тормозной эффект (особое граничное "трение").

Пусть морфология фронта роста сохраняет тот же вид, что и в разделе 1.5 (см. [30]). И пусть, как и прежде, основная движущая сила P_E имеет упругий, а противодействующая сила P_γ - лапласианный характер (все сегменты композиционного фронта роста колонии в поперечном сечении круглые с радиусом кривизны R_{res}) и соответствует выражению $P_\gamma = \dfrac{2\gamma}{R_{res}}$ (γ - удельная поверхностная энергия для границ колонии). При этом собственный радиус кривизны любого отдельного сегмента (r) и радиус кривизны базовой линии фронта роста (R) имеют одинаковые знаки, что приводит к следующему соотношению для результирующего начального радиуса кривизны:

$$R_{res}^{(0)} = \frac{L_0}{1+\dfrac{\delta}{n}} , \quad (2.52)$$

где L_0 - начальная хорда кругового сегмента, $\dfrac{\delta}{n}$ - элементарный угол поворота (разориентации) для каждого отдельного зерна колонии, состоящей из n зерен.

129

Дифференциальное уравнение роста для рассматриваемого случая имеет вид [48]

$$\frac{dh}{d\tau} = 10\frac{D\omega}{kT}\frac{P_E - \dfrac{2\gamma}{R_{res}}}{\xi R_{res}}, \ (2.53)$$

где $h \cong \dfrac{1}{8}\dfrac{L_0^2}{R_{res}}$ [32]; D - коэффициент диффузии в приграничной области; ω - атомный объем; T - температура в Кельвинах; ξ - коэффициент дисперсных включений [48]; τ - время.

Решение уравнения (2.53) в общем случае соответствует соотношению

$$\int_{R_{res}^{(0)}}^{R_{res}} \frac{dR}{aR - 1} = -16\frac{\gamma A}{L^2}\tau, \ (2.54)$$

где ; $a = \dfrac{P_E}{2\gamma}$ $A = \dfrac{10A^*}{\xi}$; кроме того, $A^* = \dfrac{D\omega}{kT}$.

Проинтегрировав (2.54), получим выражение, связывающее результирующий радиус (R_{res}) для любого участка фронта состава сегмента со временем роста τ на нестационарной стадии процесса рекристаллизации, когда концы сегментов (тройные стыки двух соседних зерен секторного типа с граничащим крупным зерном деформированной матрицы [30]) остаются неподвижными

$$R_{res} = \frac{1}{a}\left[1 + \left(a\frac{L_0}{1 + \dfrac{\delta}{n}} - 1\right)\exp\left(-\frac{16}{L_0^2}\gamma A a \tau\right)\right]. \quad (2.55)$$

Проверка соответствия этого уравнения граничным условиям

$\tau = 0$ и $\tau = \infty$ дает: ; $R_{res}(0) = \dfrac{1}{a}\dfrac{aL_0}{1+\delta/n} = R_{res}^0$ $R_{res}(\infty) = \dfrac{1}{a}$, отсюда , то

есть $P_E = \dfrac{2\gamma}{R_{res}(\infty)} = P_\gamma$ $\Delta P = P_E - P_\gamma = 0$, что свидетельствует о

достижении равенства движущих и противодействующих сил, если процесс нестационарного роста бесконечно длителен. Следовательно, полученное решение (2.55) полностью соответствует физической реальности для любой длины временного интервала.

Теперь, используя приближенные выражения для высоты сегмента h (см. пояснения к (2.53)), можно получить промежуточное соотношение, с помощью которого, дифференцируя по времени, приходим к кинетическому уравнению для скорости роста отдельных сегментов (υ_{segm}), характеризующему нестационарную стадию процесса секторного (пока только продольного) роста колонии. Это уравнение имеет следующий вид:

$$\upsilon_{segm} = \frac{20\mathrm{A}*\gamma a^2 \left(\dfrac{aL_0}{1+\delta/n} - 1 \right) \exp\left(-\dfrac{160\gamma aA*}{L_0^2 \xi}\tau \right)}{\xi \left[1 + \left(\dfrac{aL_0}{1+\delta/n} - 1 \right) \exp\left(-\dfrac{160\gamma aA*}{L_0^2 \xi}\tau \right) \right]^2}. \qquad (2.56)$$

Анализ выражения (2.56) показывает, что зависимости скорости перемещения центральных участков сегментов фронта роста от времени при фиксированных стыках соседних секторных зерен и различных значениях (дискретных и непрерывных) базовой хорды (L_0) характеризуются наличием максимума (что уже ясно из формы уравнения (2.53)) и свидетельствуют о заметном снижении скорости υ_{segm} со временем, причем чем меньше значения базовых хорд сегментов, тем значительнее это снижение (соответствующие графические зависимости приведены в [47]). Причина такого поведения показателя υ_{segm} заключается в том, что с уменьшением длины хорды уменьшается радиус кругового сегмента фронта роста, а следовательно, и результирующий радиус (R_{res}). Следствием этого является увеличение противодействующей силы Лапласа, которая выступает в качестве основного тормозящего фактора на нестационарной стадии рассматриваемого процесса.

Как и ранее [30], процесс изгиба сегментов главного фронта реакции веерной колонии будет сопровождаться двумя эффектами: уменьшением результирующей движущей силы, действующей на сегменты фронта роста, и увеличением результирующей движущей силы, которая связана с тройными стыками зерен-секторов колонии. Совершенно очевидно, что со временем между этими двумя термодинамическими силами может быть достигнуто равновесие. Возникновение такого равновесия приводит к появлению трех пороговых характеристик, R_{res}^{th} θ_{th} и τ_{th} (θ_{th} - пороговый двугранный угол, который вместе с пороговым радиусом определяет морфологические особенности фронта роста).

Математическое условие равновесия сил имеет точно такой же вид, как и в разделе 1.5 (см. также [30]), и пороговый радиус, соответствующий этому условию в компактной форме, будет иметь вид:

$$R_{res}^{th} = \frac{2(qL_0 + 1)\gamma}{P + 2\gamma \cos \dfrac{\delta}{2n}} \text{, (2.57)}$$

где $q = \dfrac{\sin\left(k\dfrac{\delta}{n}\right)}{\sin\dfrac{\delta}{n}}$ (k - число дополнительных поворотов векторов

поверхностного натяжения $\bar{\gamma}$, действующих на внутренних границах зерен колонии по нормали к линии основания колониального веера [30]).

Подставив выражение (2.57) в (2.55), получим формулу, определяющую пороговое время как функцию от значений хорды и разориентации δ/n,

132

$$\tau_{th} = \frac{L_0^2 \xi}{160 \gamma a A^*} \ln\left[\frac{\left(\dfrac{aL_0 - 1}{1 + \delta/n}\right)\left(a + q\cos\dfrac{\delta}{2n}\right)}{q\left(aL_0 - \cos\dfrac{\delta}{n}\right)}\right]. \tag{2.58}$$

Анализ полученного выражения (2.58) показывает, что с увеличением длины хорды L_0 пороговое время τ_{th} только увеличивается, а с уменьшением угла разориентации это увеличение начинается с более высокого начального уровня (см. графические зависимости в [47]). Отметим, что поведение τ_{th} остается качественно таким же, как и ранее [30].

Подставив пороговое время τ_{th} в формулу (2.56), получим выражение для фронтальной скорости продольно-поперечного перемещения всего фронта роста (вместе с узлами) при сохранении баланса двух результирующих движущих сил

$$\upsilon_{front} = \frac{20 A^* \gamma a^2 q\left(aL_0 - \cos\dfrac{\delta}{2n}\right)\left(a + q\cos\dfrac{\delta}{2n}\right)}{\xi\left[\left(a + q\cos\dfrac{\delta}{2n}\right) + q\left(aL_0 - \cos\dfrac{\delta}{2n}\right)\right]^2}. \tag{2.59}$$

В рассматриваемом случае наблюдается резкое уменьшение скорости продольно-поперечного роста υ_{front} с увеличением хорды каждого отдельного сегмента общего фронта реакции [47] (в отличие от восходящего характера зависимостей той же скорости в случае веерообразного роста без частиц [30]). Различие в поведении обсуждаемого кинетического фактора (υ_{front}) для обоих вариантов веерообразного роста пластинчатых (столбчатых) зерен связано с принципиальным различием в соотношениях для фронтальных скоростей роста. Это связано с определенным влиянием на такой рост (и, соответственно, на кинетические уравнения) фактора включения дисперсных частиц, движущихся вместе с фронтом реакции.

В заключение этого раздела отметим, что все приведенные выше формулы для кинетических коэффициентов, в случае использования равенства $k = \dfrac{1}{2L_0}$ и исключения углового коэффициента (δ/n), переходят в соответствующие формулы работы [44], выведенные для случая параллельного роста зерен (при условии, что коэффициент включения для продольных границ колонии (ξ_2) равен нулю).

3 МИГРАЦИЯ ГРАНИЦ ЗЕРЕН ОБЩЕГО ТИПА ПРИ ФАЗОВОМ ПРЕВРАЩЕНИИ ТИПА $\beta \to \alpha$ В ПРИСУТСТВИИ ВКЛЮЧЕНИЙ

3.1 Совместный рост группы пластинчатых зерен в процессе фазового превращения $\beta \to \alpha$ в присутствии неподвижных частиц [49].

В подразделе 2.2.1 ([32]) в теоретическом аспекте рассмотрен колониальный рост столбчатых (пластинчатых в продольном сечении) зерен металлической системы в присутствии дисперсных сферических частиц второй фазы. Основной движущей силой являлась сила упругой природы. При этом учитывались дополнительные движущие и противодействующие термодинамические силы, которые, наряду с основными, определяли движение фронта граничной реакции как двухстадийный процесс, который на начальной стадии роста имеет нестационарный характер.

В данном разделе рассматриваются практически те же вопросы перемещения фронта колонии однофазных зерен, однако уже под действием основной термодинамической силы чисто химической природы (P), то есть движение фронта границы рассматривается как результат процесса кристаллизации, в котором β-фаза является родительской, а α-фаза - дочерней. При этом для упрощения ситуации предполагалось, что химический состав обеих фаз в ходе фазового превращения не меняется, и, следовательно, основная движущая сила процесса также не изменяется со временем (примерами таких превращений могут служить кристаллизация (рекристаллизация) сплава, соответствующего по составу проекции "талии" точечной сигарообразной двухфазной области равновесной диаграммы, мартенситные превращения в сталях и цветных сплавах и т. д.). Как и ранее [32], в качестве исходного выражения для составления дифференциального уравнения роста было выбрано кинетическое соотношение [3, 29]

$$\upsilon = mP_{\Sigma}, \quad (3.1)$$

где m - микроскопическая подвижность границы раздела между кристаллизующейся жидкой (или рекристаллизующейся твердой) фазой и колонией пластинчатых зерен (причем эта подвижность полностью определяется структурными особенностями такого рода границы раздела); P_{Σ} - результирующая движущая сила процесса кристаллизации.

В этом случае, как и в подразделе 2.2.1 [32], к основной движущей силе P добавляется член $\dfrac{2\gamma_{\alpha\beta}}{r}\varepsilon_1$ ($\gamma_{\alpha\beta}$ - межфазная свободная энергия, r - радиус кривизны кругового сегмента фронта реакции, ε_1 - коэффициент включения для этих сегментов, имеющий тот же смысл, что и в указанной работе) и отрицательный член $\dfrac{2\gamma_{\alpha\beta}}{r}$, определяющий контрдвижущую силу Лапласиана, которая препятствует изгибу сегментов на фиксированных стыках фронта реакции.

Отметим особо, что приведенная выше формула получена на основе теории абсолютных скоростей реакций [3] и, в соответствии с представлениями Тернбулла [50], вполне пригодна для использования в рассматриваемом случае. Это объясняется тем, что условием ее применимости является неравенство $P < \dfrac{kT}{v}$, которое очевидно для повышенных температур (k - постоянная Больцмана, T - абсолютная температура, v - объем атома растворенного вещества).

Как уже отмечалось, граничный фронт роста, благодаря наличию на нем тройных стыков интерфейсов (см. [32]), состоит из чередующихся круговых отрезков с постоянной линейной базой (L). Поэтому из-за наличия ненулевой кривизны сочлененных на стыках участков фронта, которая увеличивается на стадии нестационарного процесса перемещения границы раздела композиций, основная движущая сила не будет постоянной во времени (растворимость в матрице, в соответствии с известным соотношением Томсона-Фрейндлиха, постепенно увеличивается и, следовательно, все время оказывается несколько завышенной по сравнению со случаем плоского фронта реакции). Однако в целях упрощения термодинамической ситуации и соответствующих аналитических оценок мы не будем считаться с этим отклонением от принятой "нормы".

С учетом теории [32] и принятых обозначений дифференциальное уравнение роста (3.1) для нашего конкретного случая имеет вид

$$\frac{dr}{d\tau} = \frac{16m\gamma_{\alpha\beta}}{L^2} r\left(\frac{P}{2\gamma_{\alpha\beta}} r - 1 + \varepsilon_1\right), \text{ (3.2)}$$

поскольку $\upsilon = \dfrac{dh}{d\tau}$ (h - высота кругового сегмента фронта; в данном случае $h \cong \dfrac{L^2}{8r}$ (1.64)).

Проинтегрировав (3.2), получим следующую зависимость высоты h от времени:

$$h = \frac{L^2}{8(1-\varepsilon_1)}\left\{a + \left[\frac{1}{L}\cdot\frac{\gamma_{\alpha\alpha}}{\gamma_{\alpha\beta}}(1-\varepsilon_1) - a\right] e^{-\frac{b(1-\varepsilon_1)}{L^2}\tau}\right\}, \text{ (3.3)}$$

где $, a = \dfrac{P}{2\gamma_{\alpha\beta}}\ b = 16m\gamma_{\alpha\beta}$, а также учитывается, что в этом случае начальное значение радиуса кривизны r_0 равно $r_0 = L\dfrac{\gamma_{\alpha\beta}}{\gamma_{\alpha\alpha}}$ (см. подраздел 1.4.2, [25]), и $r_0 > L$, если считать, что $; \gamma_{\alpha\beta} > \gamma_{\alpha\alpha}\ \gamma_{\alpha\alpha}$ - удельная межзерновая энергия колониальной структуры).

Выражение (3.3) полностью удовлетворяет граничным временным условиям, как и его аналог в [32], то есть соответствует анализируемой физической картине.

Скорость изменения высоты сегментов h на стадии нестационарного процесса роста определяется (для фиксированных стыков) простым дифференцированием зависимости (3.3) относительно времени

$$\upsilon_{nonst} = \frac{dh}{d\tau} = m\left[P - \frac{2\gamma_{\alpha\alpha}}{L}\left(1 - \varepsilon_1\right)\right]e^{-\frac{b\left(1 - \varepsilon_1\right)}{L^2}\tau}. \qquad (3.4)$$

В процессе нестационарного движения фронта роста колониальной группы зерен радиус кривизны сегментов этого фронта уменьшается, что, с одной стороны, уменьшает результирующую движущую силу роста (поскольку увеличивается лапласовское давление на сегментные полосы границы состава матрицы/колонии пластинчатых зерен), а с другой - увеличивает движущую силу, действующую на тройные спаи данной границы раздела. Эта сила в рассматриваемом случае (согласно подходу для ее оценки, приведенному в [32]) описывается выражением

$$P_{junct} = \frac{\gamma_{\alpha\beta}}{r} - \gamma_{\alpha\alpha}\left(1 - \varepsilon_2\right)\frac{1}{L}, \qquad (3.5)$$

где ε_2 - коэффициент включений на плоских границах зерен колонии, который также имеет физический смысл (см. подраздел 2.2.1).

Момент включения тройных спаев фронта реакции в процесс роста (пороговое время, τ_{th}) соответствует определенным пороговым значениям радиусов кривизны сегментов фронта кристаллизации и двугранных углов тройных спаев (r_{th} и θ_{th}). Пороговый радиус r_{th} определяется из условия равновесия результирующих движущих сил $P_\Sigma = P_{junct}$, действующих на круговые сегменты и тройные спаи, и соответствует соотношению

$$r_{th} = \frac{(3 - 2\varepsilon_1)L}{2aL + \dfrac{\gamma_{\alpha\alpha}}{\gamma_{\alpha\beta}}(1 - \varepsilon_2)}. \tag{3.6}$$

Далее, используя (3.6) и решение уравнения (3.2) в виде $r^{-1} = f(\tau)$, получаем для τ_{th} зависимость

$$\tau_{th} = \frac{L^2}{(1 - \varepsilon_1)b} \ln \left\{ \frac{(3 - 2\varepsilon_1)[\gamma_{\alpha\alpha}(1 - \varepsilon_1) - aL\gamma_{\alpha\beta}]}{\gamma_{\alpha\alpha}(1 - \varepsilon_1)(1 - \varepsilon_2) - aL\gamma_{\alpha\beta}} \right\}. \tag{3.7}$$

Что касается θ_{th}, то на основании очевидного соотношения $\cos\dfrac{\theta_{th}}{2} = \dfrac{L}{2r}$ [32] мы имеем

$$\theta_{th} = 2\arccos \frac{aL + \dfrac{1}{2} \cdot \dfrac{\gamma_{\alpha\alpha}}{\gamma_{\alpha\beta}}(1 - \varepsilon_2)}{3 - 2\varepsilon_1}. \tag{3.8}$$

Все эти зависимости (3.6), (3.7) и (3.8) имеют ясный физический смысл только в том случае, если выполняется приведенное выше уравнение для баланса термодинамических движущих сил. Условием существования такого баланса сил является, с одной стороны, очевидное неравенство вида $2aL + \dfrac{\gamma_{\alpha\alpha}}{\gamma_{\alpha\beta}}(1 - \varepsilon_2) \geq (3 - 2\varepsilon_1)\dfrac{\gamma_{\alpha\alpha}}{\gamma_{\alpha\beta}}$, которое для случая отсутствия дисперсных включений ($\varepsilon_1 = 0$ и $\varepsilon_2 = 1$) или при их максимальном количестве ($2\varepsilon_1 = 1$ и $\varepsilon_2 = 1$) дает $aL \geq \dfrac{\gamma_{\alpha\alpha}}{\gamma_{\alpha\beta}}$, а с другой стороны, неравенство $6 - 4\varepsilon_1 \geq 2aL + \dfrac{\gamma_{\alpha\alpha}}{\gamma_{\alpha\beta}}(1 - \varepsilon_2)$.

Последнее неравенство для $\varepsilon_1 = 0$ и $\varepsilon_2 = 0$ дает $aL \leq 3 - \dfrac{1}{2} \cdot \dfrac{\gamma_{\alpha\alpha}}{\gamma_{\alpha\beta}}$, а для $2\varepsilon_1 = 1$ и $\varepsilon_2 = 1$ приводит к $aL \leq 2$.

Таким образом, произведение aL, используемое в приведенных выше формулах (т.е. $\dfrac{PL}{2\gamma_{\alpha\beta}}$), дает значимые результаты только в том случае, если оно удовлетворяет приведенным выше неравенствам, которые учитывают любую комбинацию коэффициентов ε_1 и ε_2.

На рисунке 3.1 показана функциональная связь между пороговыми характеристиками фронта граничной кристаллизации и коэффициентами включения ε_1 и ε_2. Из этого рисунка следует, что в случае наличия в структуре кристаллизующегося материала сферических частиц избыточной фазы, в зависимости от характера их распределения (равномерного $2\varepsilon = \varepsilon_{12} = \varepsilon$), преимущественно параллельного фронту кристаллизации ($2\varepsilon_1 = \varepsilon$; $\varepsilon_2 = 0$) или преимущественно продольного ($\varepsilon_1 \cong 0$; $\varepsilon_2 = \varepsilon$)) пороговое время, а также пороговое значение радиуса кривизны, определяющее морфологию фронта при последующем стационарном колониальном росте зерна, могут изменяться в любом направлении, то есть как в сторону увеличения, так и уменьшения их номинальных значений.

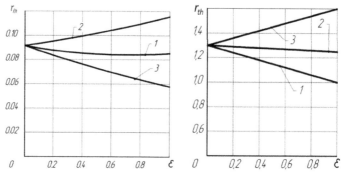

Рисунок 3.1 - Графики пороговых значений кинетических и морфологических факторов для продольного роста колонии в процессе трансформации β→α: 1 на всех графиках соответствует $2\varepsilon_1 = \varepsilon_2 = \varepsilon$; 2 - $2\varepsilon_1 = \varepsilon$ ($\varepsilon_2 \cong 0$); 3 - $\varepsilon_2 = 0$; $\varepsilon_1 \cong \varepsilon$). Примечание: в расчетах принималось, что $m=1$; $P=6$; $\gamma_{\alpha\alpha} = 2$; $\gamma_{\alpha\beta} = 3$ и $L=2$ (все в условных единицах, не нарушающих связь размеров).

140

Наконец, подстановка порогового времени в выражение для нестационарного темпа роста (3.4) или в исходное уравнение (3.1) приводит к выражению для стационарного темпа в виде

$$\upsilon_{st} = \frac{m}{3 - \varepsilon_1} \left[P - \frac{2\gamma_{\alpha\alpha}}{L} (1 - \varepsilon_1)(1 - \varepsilon_2) \right]. \tag{3.9}$$

Очевидно, что уравнения для нестационарной (3.4) и стационарной (3.9) скоростей роста аналогичны соответствующим выражениям (2.24) и (2.30) из подраздела 2.2.1. Поэтому зависимости для этих кинетических параметров будут аналогичны тем, что показаны на рис. 2.3.

Таким образом, наличие включений второй фазы стимулирует процесс стационарного роста, поскольку произведение $(1 - \varepsilon_1)(1 - \varepsilon_2)$ меньше единицы, и, следовательно, член, "тормозящий" процесс роста в уравнении (3.9) (второй член в квадратных скобках) в результате присутствия такого фактора будет заметно меньше, чем в случае полного отсутствия включений. При этом, как показывает простой анализ уравнения (3.9), если $\varepsilon_1^{max} = 0,5$ и $\varepsilon_2 = 1$, то обсуждаемый член этого уравнения исчезает, и в этом случае сопротивления росту вообще не будет. Одновременно с увеличением ε_1 до максимального значения увеличивается и коэффициент $\dfrac{m}{(3 - 2\varepsilon_1)}$, что также будет способствовать ускорению процесса стационарной кристаллизации.

Более строгий анализ выражения (3.9) на предмет определения экстремальных значений коэффициентов ε_1 и ε_2 (с использованием необходимых условий $\dfrac{\partial \upsilon_{st}}{\partial \varepsilon_1} = 0$ и $\dfrac{\partial \upsilon_{st}}{\partial \varepsilon_2} = 0$) дает следующие результаты: $\varepsilon_1^{extr} = 1$ и $\varepsilon_2^{extr} = \dfrac{P}{\gamma_{\alpha\alpha}} L + 1 > 1$. Это говорит о том, что возможный экстремум зависимости $\upsilon_{st} = f(\varepsilon_1, \varepsilon_2)$ находится за пределами физического существования самой этой функции.

3.2 Совместный рост группы пластинчатых зерен в процессе фазового превращения $\beta \to \alpha$ в присутствии подвижных частиц [51].

В работах [49, 52] была предпринята попытка описать особенности продольного роста колоний столбчатых (пластинчатых) зерен в матрице, гетерогенизированной дисперсными включениями избыточной фазы, под действием основной движущей силы химической природы (чисто кристаллизационный процесс) и силы сопротивления Лапласа при прорастании параллельно ориентированных зерен в "тело" твердой матрицы (вариант направленной однофазной кристаллизации). На начальной стадии процесса (нестационарный рост), когда стыки зерен оставались неподвижными, при одинаковых вариантах взаимодействия фронта роста с дисперсными частицами происходило только увеличение или уменьшение высоты круговых сегментов, т.е. морфология граничного фронта постепенно меняла свой характер, вплоть до достижения определенных предельных (пороговых) значений радиуса кривизны сегментов и двугранного контактного угла на стыке зерна матрицы с двумя соседними кристаллитами колонии.

В этом подразделе мы попытаемся теоретически рассмотреть случай однофазной кристаллизации с включениями, увлекаемыми фронтом роста, более подробно, используя все необходимые аналитические соотношения и соответствующий графический материал. Отметим, что подобное рассмотрение может представлять значительный интерес для практического получения устойчивых однофазных структур направленной кристаллизации с целью придания выраженной анизотропии (на микроструктурном уровне) природным композиционным материалам (в виде, например, лент или пучков волокон).

Обозначим матричную фазу как β, а фазу с параллельно ориентированными кристаллитами пластинчатой (столбчатой) колонии как α. Далее, пусть P - основная движущая сила химической природы (максимальное значение для определенного переохлаждения), а $\dfrac{2\gamma_{\alpha\beta}}{r}$ - контрприводная сила Лапласиана ($\gamma_{\alpha\beta}$ -

удельная поверхностная энергия поверхности раздела фаз матрица - эксцесс; r - радиус кривизны сегмента фронта роста); $\gamma_{\alpha\alpha}$ - соответствующая энергия для внутренних интерфейсов колониальной группы; ε_1 и ε_2 - коэффициенты дисперсных включений на интерфейсах /$\alpha\beta$ и /$\alpha\alpha$ [32].

Как и ранее (см. подраздел 2.2.2 (2.32)), основное дифференциальное уравнение для рассматриваемых ситуаций будет иметь вид

$$\frac{dh}{d\tau} = 10 \cdot \frac{D\omega}{kT} \cdot \frac{P - \dfrac{2\gamma_{\alpha\beta}}{r}}{\varepsilon_1 r}, \quad (3.10)$$

где h, τ, D, ω, k, T имеют тот же смысл; $\varepsilon_1 = 10\rho^3 n_v$.

Поскольку $h \cong \dfrac{L^2}{8r}$ (L - ширина пластинчатого (столбчатого)

зерна), из уравнения (3.10) можно получить интегральное выражение вида

$$\int\limits_{r_0}^{r} \frac{dr}{ar - 1} = -16 \frac{\gamma_{\alpha\beta} A^*}{L^2 \varepsilon_1} \tau . \quad (3.11)$$

Здесь , $r_0 = L\dfrac{\gamma_{\alpha\beta}}{\gamma_{\alpha\alpha}}$ $a = \dfrac{P}{2\gamma_{\alpha\beta}}$ и $A^* = \dfrac{D\omega}{kT}$.

Решение уравнения (3.11) приводит к следующей зависимости радиуса кривизны участка фронта граничного роста r от времени процесса кристаллизации τ:

$$r = \frac{1}{a} \cdot \left[1 + \left(aL \frac{\gamma_{\alpha\beta}}{\gamma_{\alpha\alpha}} - 1 \right) \exp\left(-\frac{160\gamma_{\alpha\beta} a A^*}{\varepsilon_1 L^2} \tau \right) \right]. \quad (3.12)$$

Легко убедиться, что полученное решение уравнения (3.11) удовлетворяет граничным временным условиям, т.е. является физически пригодным. Действительно, при $\tau = 0$ имеем $r = r_0 = L\dfrac{\gamma_{\alpha\beta}}{\gamma_{\alpha\alpha}}$, а при $\tau = \infty$ (отсутствие стационарной стадии роста, для которой пороговое значение времени τ_{th} является максимальным и конечным) получаем $ra = 1$, что соответствует равенству $P = \dfrac{2\gamma_{\alpha\beta}}{r}$ (то есть в данном случае нестационарная фаза процесса кристаллизации продолжается вплоть до полного исчезновения результирующей движущей силы роста колоний).

Далее, на основе приведенных выше соотношений, мы получаем уравнение, связывающее изменение высоты сегмента h со временем нестационарной фазы роста, при которой, напомним, тройные переходы граничного фронта остаются неподвижными:

$$h = \frac{L^2}{8r} \cdot \frac{a}{1 + \left(aL\dfrac{\gamma_{\alpha\beta}}{\gamma_{\alpha\alpha}} - 1\right)\exp\left(-\dfrac{160\gamma_{\alpha\beta}aA*}{L^2\varepsilon_1}\tau\right)}. \qquad (3.13)$$

Дифференцирование этого выражения по времени дает скорость изменения высоты h, т.е. скорость движения центральных участков круговых сегментов линии фронта границы с фиксированными тройными стыками граничных зерен по обе стороны:

$$\upsilon_{nonst} = \frac{20}{\varepsilon_1} \cdot \frac{a^2\left(aL\dfrac{\gamma_{\alpha\beta}}{\gamma_{\alpha\alpha}} - 1\right)\gamma_{\alpha\beta}A*\exp\left(-\dfrac{160\gamma_{\alpha\beta}aA*}{L^2\varepsilon_1}\tau\right)}{\left[1 + \left(aL\dfrac{\gamma_{\alpha\beta}}{\gamma_{\alpha\alpha}} - 1\right)\exp\left(-\dfrac{160\gamma_{\alpha\beta}aA*}{L^2\varepsilon_1}\tau\right)\right]^2}. \qquad (3.14)$$

Графики изменения $\upsilon_{nonst} = f(\tau)$ для нескольких значений коэффициента ε_1 на $aL = 2$ (безразмерное произведение параметров

144

теоретической модели) приведены на рис. 3.2. Все они имеют экстремальную точку (максимум для соответствующих значений функции), что в целом соответствует характеру исходного уравнения (3.10) и свидетельствует об ингибирующем действии включений уже на этой стадии роста колонии зерен (заметное уменьшение максимумов кривой).

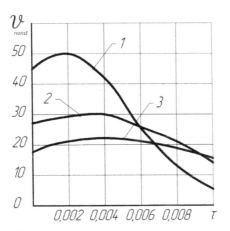

Рисунок 3.2 - Зависимость скорости нестационарного прямого роста колонии зерен от времени процесса (на $aL = 2$). Для кривой 1 $\varepsilon_1 = \varepsilon = 0{,}3$; для 2 - $\varepsilon_1 = \varepsilon = 0{,}5$; для 3 - $\varepsilon_1 = \varepsilon = 0{,}7$. Примечание: в расчетах принималось, что А*=1; P=6; L=2; $\gamma_{\alpha\beta} = 3$ и $\gamma_{\alpha\alpha} = 2$ (все в условных единицах, что не нарушает размерных соотношений).

Момент перехода к стационарной фазе роста (движение всего фронта кристаллизации в целом), определяемый пороговым временем (τ_{th}), может быть найден из соотношения динамического баланса результирующих движущих сил, действующих как на кольцевые сегменты фронта роста, так и на его тройные стыки

$$P - \frac{2\gamma_{\alpha\beta}}{r_{th}} = \left(\frac{L}{r_\Pi} \gamma_{\alpha\beta} - \gamma_{\alpha\alpha} + \gamma_{\alpha\alpha}\varepsilon_2 \right) \frac{1}{L}, \ (3.15)$$

где ε_2 - коэффициент включения для продольных границ зерен колонии.

145

Для этого пороговое значение радиуса кривизны

$$r_{th} = \frac{2\gamma_{\alpha\beta}}{P + \dfrac{\gamma_{\alpha\alpha}}{L}\left(1 - \varepsilon_2\right)} \qquad (3.16)$$

необходимо подставить в (3.12), и тогда мы получим

$$\tau_{th} = \frac{L^2 \varepsilon_1}{160\gamma_{\alpha\beta} a A^*} \ln \frac{\left[2aL\gamma_{\alpha\beta} + \gamma_{\alpha\alpha}\left(1 - \varepsilon_2\right)\right]\left[aL\dfrac{\gamma_{\alpha\beta}}{\gamma_{\alpha\alpha}} - 1\right]}{aL\gamma_{\alpha\beta} - \gamma_{\alpha\alpha}\left(1 - \varepsilon_2\right)}. \qquad (3.17)$$

Помимо пороговых параметров r_{th} (морфологический фактор) и τ_{th}, легко найти еще один параметр того же рода, связанный с морфологией фронта роста, а именно θ_{th} (двугранный пороговый контактный угол трех зерен обеих фаз (двух зерен α - и одного β - фазы) на граничных стыках фронта роста кристаллизации). Поскольку $\cos\theta = \dfrac{L}{2r}$, то

$$\theta_{th} = 2\arccos\frac{PL + \gamma_{\alpha\alpha}\left(1 - \varepsilon_2\right)}{6\gamma_{\alpha\beta}}. \qquad (3.18)$$

На рисунках 3.3 и 3.4 представлены графики изменения всех пороговых характеристик в зависимости от значений обоих факторов включения. Общий вывод, который можно сделать в данном случае, таков: увеличение ε_2 всегда приводит к увеличению пороговых значений морфологических факторов (r и θ). Для порогового времени большое значение имеет характер распределения включений. В случае однородного распределения включений ($\varepsilon_1 = \varepsilon_2 = \varepsilon$) τ_{th} увеличивается по нелинейному закону с увеличением ε, а в случае неоднородного распределения пороговое время может изменяться линейно или почти линейно в любом направлении. Особо отметим, что все вышесказанное соответствует

146

физической реальности только при условии строгого выполнения

$$\text{неравенств: } \frac{1}{2}\frac{\gamma_{\alpha\alpha}}{\gamma_{\alpha\beta}} \leq \frac{2aL + \dfrac{\gamma_{\alpha\alpha}}{\gamma_{\alpha\beta}}(1 - \varepsilon_2)}{6} \leq 1, \text{ что дает нам ограничения}$$

для aL такого вида $1 \leq aL \leq 2{,}67$ (когда $0 \leq \varepsilon_{1,2} \leq 1$ и $; \gamma_{\alpha\alpha} = 2\,\gamma_{\alpha\beta} = 3$ (относительные единицы)).

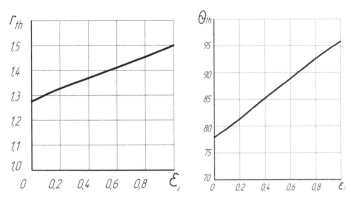

Рисунок 3.3 - Зависимости морфологических факторов (r_{th} и θ_{th}) от ε_2. Расчеты приведены в тех же условных единицах, которые указаны в примечании к рис. 3.2.

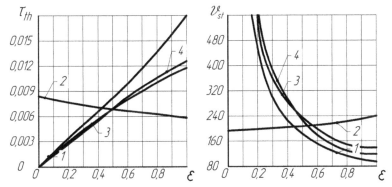

Рисунок 3.4 - Зависимости порогового времени τ_Π и скорости стационарного роста от коэффициента ε. Кривая 1 соответствует неоднородному распределению включений $\varepsilon_1 = \varepsilon$, а $\varepsilon_2 = 0$; 2 - то же для случая $\varepsilon_1 = 0{,}5$, а $\varepsilon_2 = \varepsilon$; 3 - однородное распределение включений $\varepsilon_1 = \varepsilon_2 = \varepsilon$; 4 - неоднородное распределение, для которого $\varepsilon_1 = \varepsilon$ и $\varepsilon_2 = 0{,}5$.

Расчеты приведены в тех же условных единицах, которые указаны в примечании к рис. 3.2.

Подставив τ_{th} в соотношение (3.14), получим следующее выражение для стационарной стадии роста колониальной группы параллельных зерен:

$$\upsilon_{st} = 20 \cdot \frac{A*}{\varepsilon_1 L^2 \gamma_{\alpha\beta}} \left[2aL\gamma_{\alpha\beta} + \gamma_{\alpha\alpha}(1-\varepsilon_2) \right] \cdot \left[aL\gamma_{\alpha\beta} - \gamma_{\alpha\alpha}(1-\varepsilon_2) \right]. \quad (3.19)$$

На рисунке 3.4 показана зависимость изменения стационарной скорости роста в зависимости от коэффициента включения ε.

4 ФОРМИРОВАНИЕ ЗЕРЕННОЙ СТРУКТУРЫ В ТИТАНОВЫХ МАТЕРИАЛАХ С ГРАНИЧНЫМИ ВКЛЮЧЕНИЯМИ В ВИДЕ ПОР

Производство изделий методом порошковой металлургии из металлических сплавов предполагает преобразование порошковой смеси путем прессования и спекания. Преимуществами порошковой металлургии являются снижение затрат на последующую механическую обработку, уменьшение количества операций в технологической цепочке изготовления изделия, а также высокий коэффициент использования исходного материала (более 97 %). Однако изделия, полученные методами порошковой металлургии, имеют поры в структуре, что приводит к нестабильности свойств.

Порошковые титановые сплавы являются одними из наиболее перспективных материалов с высоким коэффициентом использования металла, которые применяются в химической, фармацевтической, аэрокосмической, машиностроительной и других отраслях промышленности. Спеченные титановые сплавы по уровню механических свойств не уступают литым [53, 54, 55], что подтверждает возможность их использования в качестве конструкционных материалов для изготовления деталей химической промышленности. Однако наличие пор, служащих концентраторами напряжений, а также их размер, геометрия и характер распределения существенно влияют на уровень свойств изделия, определяя характер его разрушения. Форма пор для спеченных сплавов на основе титана разнообразна и может варьироваться от крупных остроугольных до мелких шаровидных [56].

При промышленном использовании титановых порошков в структуре металла образуются поры неправильной формы с острыми краями, которые являются концентраторами напряжений. Для стабилизации уровня свойств спеченных титановых сплавов и их сварных соединений необходимо формировать поры с высокой степенью сфероидизации. Это возможно в результате использования порошков гидрогенизированного титана (TiH_2) [53, 57].

Например, структура спеченного порошкового титанового сплава VT1-0 на основе порошка РТ5-1 представляет собой зерна α-фазы с четкими межчастичными границами и порами различной геометрической конфигурации, расположенными преимущественно по границам зерен, а также в теле зерен. При этом средний размер вытянутых α-зерен не превышает 100 мкм. Доля пор в площади сечения составляет 13 %, что определяет их низкую плотность со средним размером, не превышающим 60 мкм (рис. 4.1).

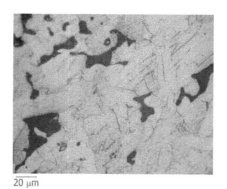

Рисунок 4.1 - Микроструктура спеченного титанового сплава VT1-0 на основе порошка РТ5-1

Согласно теории спекания [56, 58], образование пористости происходит на стадии прессования в точке контакта между частицами порошка. При этом образуются как закрытые, так и открытые сквозные поры. Порошковая смесь представляет собой отдельное поликристаллическое тело, зерна которого отделены друг от друга границами зерен. При повышении температуры в процессе спекания в местах контакта частиц порошка происходит характерное спекание с последующим увеличением площади спекания, сопровождающееся уменьшением объема каждой поры. Когда температура достигает 800° С, активизируется движение границ зерен в объемах частиц порошка и в местах уже образовавшегося контакта. Границы зерен, сталкиваясь с мелкой порой, поглощают ее.

Последующее повышение температуры приводит к значительному увеличению площади спекания частиц порошка при уменьшении размера и количества межчастичных пор за счет процесса коалесценции. Частицы порошка уже образуют монолитные зерна α -фазы, а границы зерен перемещаются с перемешиванием захваченных мелких пор и их последующей ликвидацией за счет перераспределения вакансий [56].

На рисунке 4.2 ниже показана структура титанового сплава VT1-0, спеченного с использованием порошка гидрогенизированного титана TiH_2. Структура представлена зернами α-фазы со средним размером не более 100 мкм и равномерно распределенными сферическими порами размером около 20 мкм. Выделяющийся при спекании водород способствует уменьшению размеров пор и снижению их концентрации [53, 54]. Форма пор в этом случае близка к форме шара, которая из всех форм концентраторов напряжений в металле является наиболее благоприятной для сопротивления процессам разрушения.

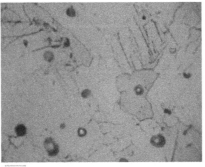

$\overline{20\ \mu m}$

Рисунок 4.2 - Микроструктура спеченного титана VT1-0,
полученного с использованием гидрогенизированного титана TiH_2

Рассмотрим оригинальный механизм образования пор глобулярного типа при спекании смесей, содержащих гидрид титана (TiH_2), рис. 4.3, в котором водород при спекании влияет на процесс увеличения степени сфероидизации пор. [59]

В процессе спекания, при достижении температуры 320° С, активизируется процесс интенсивного выделения водорода из октаэдрической поры (рис. 4.3 а-б) и его адсорбции на поверхности титанового сплава с последующей рекомбинацией атомов в

151

молекулу. Местами, где происходит рекомбинация атомов водорода, являются непосредственно поверхности образцов, а также поверхности прилегающих к ним пор (рис. 4.3 б). Конденсация атомов водорода, обладающих высокой диффузионной подвижностью в кристаллической решетке титана, вокруг новых дислокаций понижает уровень свободной энергии дефектов кристаллической структуры, что блокирует формирование вокруг них атмосфер из значительно менее подвижных примесных атомов кислорода, углерода и азота и тем самым способствует последующей очистке металла.

Согласно [60, 61], выделение молекул газа будет продолжаться, и водород начнет создавать избыточное давление в закрытой уменьшающейся межчастичной поре, что приведет к увеличению степени сфероидизации этой поры. Незакрытые межчастичные поры постепенно закрываются в процессе спекания.

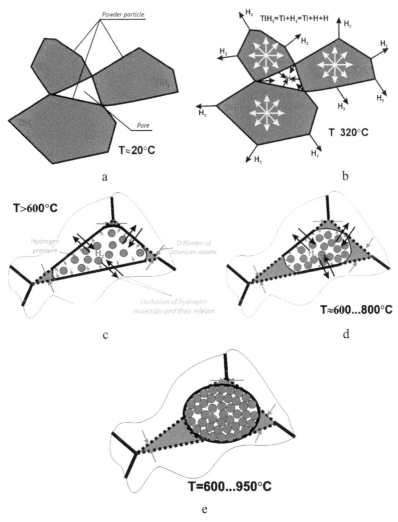

а - т≈ 20° С; б - т> 320° С; в - т> 600° С; г - т≈ 600...800° С;

е - t≈ 600...950° С

Рисунок 4.3 - Процесс увеличения степени сфероидизации пор при спекании (цветами выделено качественное содержание водорода).

Высокие температуры спекания способствуют перемещению границ зерен в объеме металла [48, 62], что приводит к перемещению пор и объединению нескольких в одну большую. При этом в уже сферической поре происходит диссоциация молекулярного водорода на атомы с постепенным их внедрением в октаэдрическую полость кристаллической решетки α-титана (рис. 4.3 c-d). Уменьшение объема газа происходит одновременно с процессом уменьшения размера поры, а давление водорода оказывается достаточным для сфероидизации уменьшающейся поры (см. рис. 4.3 д).

Описанный выше механизм стал основополагающим в исследованиях, результаты которых представлены в работах [63-65]. Аналогичные закономерности были установлены и для формирования структуры сплавов, состоящих из порошков титана РТ5 и TiH2 [66-68].

Структура спеченных титановых сплавов, которая является основным фактором, влияющим на свойства этих сплавов [64, 69], состоит из основной матрицы, а также большого количества пор. Эти поры являются "механическими" препятствиями, которые стабилизируют полученную структуру при повышенных температурах, препятствуя процессу миграции границ зерен.

Захват включений (как твердотельных, так и газовых) движущейся границей термодинамически благоприятен, поскольку в этом случае граница уменьшает свою площадь примерно на площадь наибольшего сечения сферического объема и, следовательно, уменьшает свободную поверхностную энергию на соответствующую величину. Однако в силу определенных требований физики явления система должна отвечать необходимости сохранения объема частицы при ее нахождении на границе раздела, а также установления определенного угла контакта матрицы с частицей в плоскости сечения самой частицы на границе раздела (в силу наличия определенного соотношения межфазной и межзерновой энергий, поскольку эти энергии являются физическими константами для любой термодинамической системы). [70]

Рассмотрим несколько идеализированную ситуацию. Пусть практически чистая граница имеет ширину порядка трех межатомных расстояний [5]. В этом случае можно предположить, что при встрече такой границы с частицей последняя, в соответствии с термодинамическими требованиями, легко интегрируется в "тело" границы (с потерей части площади самой границы (рис. 4.4)). Проследим эволюцию сферической частицы через некоторое время, независимо от того, продолжает ли граница двигаться после акта захвата частицы или практически прекращает свое движение под действием сильного "механического" замедления.

При попадании сферической частицы на границу зерен она "растекается" по поверхности границы (из-за необходимости сохранения прежнего объема), что влечет за собой увеличение радиуса для двух сочлененных сферических сегментов в соответствии с требованием установления определенного угла контакта каждого сегмента с границей (угол θ на рисунке 4.4). В этом случае соотношение между радиусами сферической частицы $r_{sph.}$ и ее сегментов, когда она имеет форму продолговатого сфероида $R_{obl.sph.}$, соответствует выражению (см. рисунок 4.4)

$$r_{sph.} = R_{obl.sph.} \sqrt[3]{\frac{1}{2}(1-\cos\theta)^2(2+\cos\theta)}. \qquad (4.1)$$

В этом случае высота сфероидального сегмента равна $h = R(1 - \cos\theta)$.

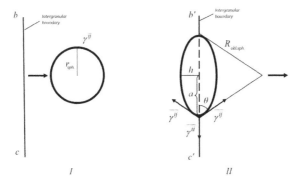

155

Рисунок 4.4 - Изменение формы частицы при ее "захвате" движущейся границей: *I* - сферическая частица в матрице; *II* - частица, захваченная границей зерна после приобретения сфероидальной формы.

Термодинамический выигрыш (в результате уменьшения свободной энергии) равен разности между суммой поверхностных энергий двух сочлененных продолговатых сегментов $R_{obl.sph.}$ (без учета энергии их круглых оснований - $F_{round.}$) и свободной энергией сферической поверхности исходного включения $R_{sph.}$ (до его попадания в пограничную матричную фазу):

$$\Delta F = \left(F_{obl.sph.} - F_{round}\right) - F_{sph.} = \left(4\pi R_{obl.sph.} h\gamma^{ij} - \pi a^2 \gamma^{ii}\right) - 4\pi r_{sph.}^2 \gamma^{ij}$$
, (4.2)

где a - радиус основания сегмента, равный $a = R_{obl.sph.} \sin\theta$;

γ^{ii} поверхностное натяжение на межзерновой границе;

γ^{ij} поверхностное натяжение на границе раздела матрица/частицы.

Следует особо отметить, что между поверхностными энергиями γ^{ii} и γ^{ij} существует зависимость, обусловленная наличием угла θ:

$$\gamma^{ii} = 2\gamma^{ij} \cos\theta. \tag{4.3}$$

Относительное уменьшение поверхностной энергии соответствует зависимости от угла θ следующего вида:

$$\frac{\Delta F}{F_{sph.}} = \frac{\left(4\pi R_{obl.sph.} h \gamma^{ij} - \pi a^2 \gamma^{ii}\right) - 4\pi r_{sph.}^2 \gamma^{ij}}{4\pi r_{sph.}^2 \gamma^{ij}} =$$

$$= \frac{1 - \cos\theta - \frac{1}{4} \cdot \frac{\gamma^{ii}}{\gamma^{ij}} \sin^2\theta}{\left[\frac{1}{2}(1-\cos\theta)^2 (2+\cos\theta)\right]^{\frac{2}{3}}} - 1 \qquad . \qquad (4.4)$$

Учитывая эту зависимость, были сделаны количественные оценки (см. табл. 4.1) получаемого снижения свободной поверхностной энергии. Проведем общий анализ полученных результатов.

Таблица 4.1 - Оценочные значения используемых данных

№	θ	γ^{ii}/γ^{ij}	$\Delta F/F_{sph.}$
1	Условно 90° ($R=h=a=r$)	0	0
2	85^0	0,174	-0,045
3	80^0	0,347	-0,094
4	75^0	0,518	-0,147
5	70^0	0,684	-0,203
6	60^0	1	-0,321
7	45^0	$\sqrt{2}$	-0,512
8	30^0	$\sqrt{3}$	-0,705
9	0^0	2	-1

Из расчетов следует, что упомянутый выше эффект растекания частиц по обе стороны границы раздела (с учетом "встраивания" зернограничного участка в тело частицы) термодинамически обоснован.

Подводя итог всему вышесказанному, важно отметить, что термодинамический выигрыш при нахождении сферической частицы на границе может значительно увеличиваться (см. табл. 4.1). Поэтому, в силу эффекта контактного "смачивания" (т.е. установления определенного контактного угла на фазовой границе), это обстоятельство необходимо всегда учитывать при рассмотрении возможности отделения границ раздела от сферических включений, попавших на них в процессе миграции, поскольку сопротивление такому отделению будет сильно зависеть от типа контактного превращения сферических частиц, захваченных движущейся границей. [70]

В титановых материалах, полученных методом порошковой металлургии, под воздействием повышенных температур (около 400° С) мигрирующая граница, встречая на своем пути сферическую пору, "наползает" на нее (рис. 4.5).

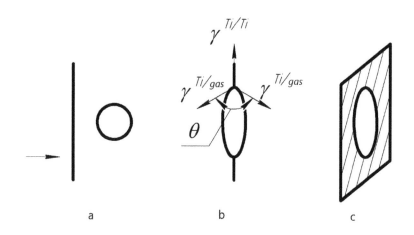

Рисунок 4.5 - Взаимодействие между движущейся границей и порами

а - граница зерен движется в направлении поры; *b* - под действием поверхностного натяжения сферическая пора на границе зерен превращается в эллипсоид вращения; *c* - "свободный" участок границы в виде эллипса максимальной площади

Под действием поверхностного натяжения поры приобретают форму эллипсоида вращения в соответствии с зависимостью Смита [35]:

$$\gamma^{Ti/Ti} = 2\gamma^{Ti/gas} \cos\frac{\theta}{2},$$

где $\gamma^{Ti/Ti}$ - поверхностное натяжение на границе раздела титан/титан; $\gamma^{Ti/gas}$ – - поверхностное натяжение на границе раздела титан/газовая среда; θ– - равновесный двугранный угол.

В результате такого взаимодействия пор и высокоугловых диффузионных интерфейсов свободная поверхностная энергия последних уменьшается (за счет уменьшения их площадей), что повышает структурную стабильность титановых материалов в целом. [62]

5 ПОСЛОЙНОЕ ФОРМИРОВАНИЕ ЗЕРНОВОЙ СТРУКТУРЫ

Необходимость использования аддитивных технологий в высокотехнологичных отраслях привела к повышению конкурентоспособности и усложнению технологий формирования деталей. [72]

Для изготовления изделий из титанового сплава ВТ1-0 использовали несферический титановый порошок в виде гранул (рис. 5.1, а) с литой микроструктурой частиц (рис. 5.1, б).

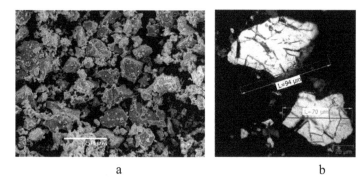

a   b

Рисунок 5.1 - Внешний вид (а) и микроструктура (б) порошков VT1-0 HDH -160+40 мкм, использованных для наплавки

С помощью малогабаритной установки электронно-лучевой сварки, включающей электронно-лучевую пушку, был проведен послойный рост образцов из титанового сплава ВТ1-0 (рис. 5.2). На рисунке 5.3 представлен образец после механической обработки (фрезерования).

Рисунок 5.2 - Образец изделия, изготовленного методом электронно-лучевой 3D-наплавки: 1 - верхний слой осажденного металла; 2 - промежуточный слой металла с частицами нерасплавленного порошка; 3 - титановая подложка. Форма образца - прямолинейная, размеры 12×12×100 мм

Рисунок 5.3 - Образец после механической обработки

После фрезерования проводился визуальный контроль на наличие несплавленных слоев. Анализ поверхностей после фрезерования (см. рис. 5.3) позволил установить отсутствие видимых разрывов в металле.

Металлографические исследования микроструктуры осажденного металла (порошок из титанового сплава ВТ1-0 осажден на основу из титанового сплава ВТ-20) позволили установить следующие закономерности в формировании структуры. Структура осажденного металла состояла из пластинчатой α-фазы. В зависимости от размера слоя и доли порошковых материалов изменялись размеры пластин игольчатой α-фазы, а также происходило осаждение α'-фазы. Образование закалочных структур характерно для фракций менее 80 мкм, что связано с низкой энергией источника и быстрым отводом тепла в объем ранее сформированного литого металла (рис. 5.4).

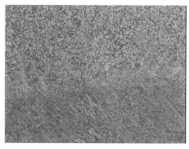

а б

Рисунок 5.4 - Микроструктура металла в центре образца: а - слой глубиной до 100 мкм; б - более 100 мкм

Далее были проведены исследования микроструктуры в различных зонах образцов (рис. 5.5), полученных из порошков фракции -100+63 мкм. Литая структура на линии сплавления с подложкой отличается размером и конфигурацией пластин α-фазы. У корня наплавки они крупнее и имеют более полиэдрическую форму, чем в средней части и у края наплавки. Это связано со скоростью охлаждения: при низких скоростях образуются более крупные пластины, а при высоких - мелкоигольчатая α' структура.

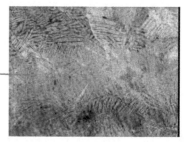

Рисунок 5.5 - Структура осажденного металла на линии сплавления

У внешнего края наплавки пластины вытянуты в направлении теплоотвода, имеют зазубренные границы. Переходные зоны наплавочных слоев характеризуются некоторым измельчением пластин и увеличением количества игольчатой фазы (α'-фазы).

Дефектов - пор, непроплавов - в структуре исследуемого образца не обнаружено.

Как следует из анализа микроструктур слоев наращиваемого металла, в структуре образца образуются характерные зоны, размер которых зависит от размера насыпного слоя порошка и его фракций. [73]

Комплексно формирование структуры в переходной зоне можно описать следующим механизмом. В переходной зоне происходит процесс наращивания порошка титанового сплава на монолитную подложку (в основном сплавленные частицы порошка, не отличающиеся от литого сплава) с уже сформированной структурой, характерной для литых или деформированных сплавов (рис. 5.6).

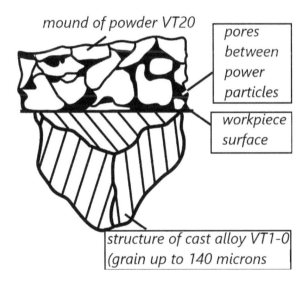

Рисунок 5.6 - Схема начальной стадии процесса аддитивного наплавления порошка титанового сплава на монолитную подложку из литого титана

Из данных, приведенных на рис. 5.6, видно, что в насыпи титанового порошка имеются поры между частицами порошка. Количество этих пор (межчастичных пор) зависит от фракции порошка и давления уплотнения. Размер зерна основы для литых сплавов обычно не превышает 140 микрон. Размер частиц порошка, согласно общепринятым стандартам выращивания присадок, находится в трех числовых диапазонах. В первый диапазон входят порошки с размером частиц от 100 до 150 микрон, во второй - порошки с размером частиц от 50 до 100 микрон, а в третий - порошки, размер частиц которых не превышает 50 микрон. Размеры частиц определяются используемой фракцией порошка. Поэтому в зависимости от фракции порошка с одним зерном подложки может контактировать разное количество частиц. Это будет определять закономерности формирования структуры и свойств в получаемой зоне.

В центральных зонах образца аддитивной наплавки структура формируется по механизму структурообразования, отличному от предыдущего (рис. 5.7).

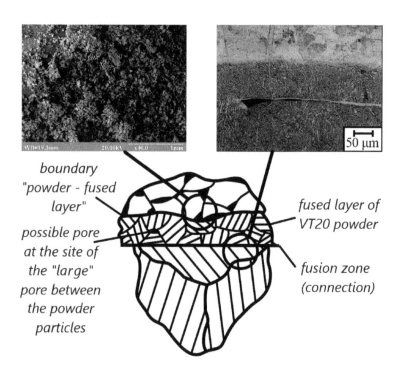

Рисунок 5.7 - Схема последующих этапов процесса аддитивного наплавления порошка титанового сплава на монолитную подложку из литого титана

Из анализа данных рис. 5.7 видно, что на последующих этапах аддитивной наплавки образец можно разделить на три части. Первая часть - это подложка и зона сплавления предыдущего прохода. Вторая часть - расплавленный слой титанового сплава, химический состав которого соответствует порошку. Третья часть образца включает в себя слой порошка, залитого для плавления.

На последующих этапах процесса расплавления порошка при выращивании образца линия сплавления перемещается выше размера этого слоя. Величина этого перемещения зависит от размера слоя и фракции порошка и должна оказывать существенное влияние на формирование свойств.

Как видно из данных на рис. 5.7, при плавлении в слое расплавленного металла могут образовываться поры. Эти поры будут следствием наличия межчастичных пор большого размера. Размеры пор и зерен в последующих слоях будут определяться не только качеством теплоотвода, но и размером частиц порошка. [74]

Таким образом, одна частица порошка может состоять из нескольких зерен. В процессе плавления эти зерна могут как плавиться, так и диффундировать. В этом случае образуются новые зерна большего размера, чем исходные. Таким образом, размер частиц порошка, как было отмечено выше, может находиться в трех диапазонах, в зависимости от используемой фракции порошка. Предположим, что плавится частица порошка, которая содержит в своей структуре несколько (например, два) зерен. Мелкие зерна будут образовывать более крупные зерна по механизму рекристаллизации. При этом чем больше зерен находится в контакте, тем больший размер конечного элемента будет сформирован. Поэтому фракция порошка подбирается таким образом, чтобы получаемые в процессе аддитивного роста структурные элементы были сопоставимы с деталями, полученными по стандартной технологии. [75]

В целом форма порошка не влияла на характер сплавления металлических слоев и всего изделия. Это позволяет сделать вывод о том, что использование недорогого нелегированного титанового порошка типа ПТ перспективно для производства изделий из титановых сплавов аддитивными методами. [73, 76]

ССЫЛКИ

1. Ольшанецкий, В. Е. О миграции межзеренных границ общего типа. 1. Потенциальные и реальные движущие силы миграции для различных двумерных и трехмерных моделей зеренной структуры [Текст] / В. Е. Ольшанецкий // Нові матеріали і технології в металургії та машинобудуванні. - 2006. - №1. - С. 9-15.

2. Ольшанецкий, В. Е. Потенциальные и реальные движущие силы миграции границ для плоских и объемных моделей зеренной структуры [Текст] / В. Е. Ольшанецкий // Новые конструкционные стали и сплавы и методы их обработки для повышения надежности и долговечности изделий : всесоюзн. научн.-техн. конф., 10-14 окт. 1989 г. : тез. докл. - 1989. - С.26 - 27.

3. Бурке, Дж. Рекристаллизация и рост зерен [Текст] / Дж. Бурке, Д. Тарнбалл // Успехи физики металлов. Вып. 1. - М.: Металлургиздат, 1956. - С. 368-456.

4. Мартин, Дж. Стабильность микроструктуры металлических систем [Текст] / Дж. Мартин, Р. Доэрти ; - М.: Атомиздат, 1978. - 280 с.

5. Мак Лин Д. Границы зерен в металлах [Текст] / Мак Лин Д. ; - М.: Металлургиздат, 1960. - 322 с.

6. Кельвин. - Phil. Mag., 1887, 24, Р.503. - Proc. Roy. Soc. 1894, А55, p.1.

7. Плато Т. Экспериментальная и теврическая статистика жидкостей, Гент, 1873.

8. Деш К.Х. - Т. Инст. Мет., 1919, 22, с. 241.

9. Hull F.C., Houk W.T. - T. Metals, 1953, 5, p. 565.

10. Gladman T.- Proc. Roy, Soc., 1966, A294, p. 298.

11. Хиллерт М. - Acto Met., 1965, 13, с. 227.

12. Lücke K., Rixen R. Rekristallisation und Korngroße - Z. Metallkunde, 1968, 59, № 4, p. 321 - 333.

13. Зенер К. - Phys. Rev., 1946, 69, p. 128.

14. Ольшанецкий, В. Е. О миграции межзеренных границ общего типа. 2. Законы роста двумерных и трехмерных моделей зеренной структуры [Текст] / В. Е. Ольшанецкий // Нові матеріали і технології в металургії та машинобудуванні. - 2006. - №2. - С. 8-19.

15. Штремель, М. А. Прочность сплавов. Ч.1. Дефекты решетки [Текст] / М. А. Штремель ; - М.: Металлургия, 1982. - 278 с.

16. Ольшанецкий В.Е. Разработка научных принципов управления структурно-энергетическим состоянием внутренних граничных зон с целью улучшения свойств и служебных характеристик металличсских материалов // Докт. дисс. (д.т.н.), Нац. металлург. академия Украины - Днепропетровск, 1993. - 397 с.

17. Ольшанецкий, В. Е. Об особенностях миграции границ в металлических системах с равномерной зеренной структурой [Текст] / В. Е. Ольшанецкий // Физика процессов залечивания макро- и микродефектов в кристаллах / Препринт ИФМ 78. 9/ - К.: Институт металлофизики АН УССР, 1978. - С. 14-15.

18. Ольшанецкий, В. Е. О миграции границ в металлических системах [Текст]/ В. Е. Ольшанецкий, Л. П. Степанова // Новое в металловедении и обеспечении надежности и долговечности деталей машин методами термической обработки : международн. научн.-техн. симпоз. 27-29 сент. 1977 г. : тезисы докл. – М., 1977. - С. 42-45.

19. Ольшанецкий, В. Е. Общие закономерности структурных изменений при термической обработке /глава 1/ [Текст] / В. Е. Ольшанецкий // Термическая обработка металлов. - К.: Вища школа, 1980. - С. 7-38.

20. Ольшанецкий В. Е. Топологические дефекты двумерной зеренной структуры как центры интегрального роста зерен - ячеек. Эволюция дефектов и законов роста во времени [Текст]/ В. Е. Ольшанецкий // Новые конструкционные стали и сплавы и методы их обработки для повышения надежности и долговечности изделий : IV Всесоюзн. научн.-техн. конф., 10-14 окт. 1989 г. - Запорожье, 1989. - С. 28-29.

21. Ольшанецкий, В. Е. Об оценке энергии активации роста зерен в металлургических системах на основе никеля и железа [Текст] / В. Е. Ольшанецкий, Л. П. Степанова // Металлофизика. - 1982. - Т.4. - № 2. - С. 101-107.

22. Ольшанецкий, В. Е. О миграции межзеренных границ общего типа. 3. Теоретическое обоснование приближенных разновидностей логарифмического закона роста зерен и особые случаи миграции межзеренных границ [Текст] / В. Е. Ольшанецкий // Нові матеріали і технології в металургії та машинобудуванні. - 2007. - №1. - С.8-16.

23. Ольшанецкий, В. Е. Об оценке относительной зернограничной энергии в никеле и железе, микролегированных

лантаноидом и иттрием [Текст] / В. Е. Ольшанецкий, Л. П. Степанова, А. Д. Коваль // Металлофизика, выпуск 64. - К.: Наукова думка, 1976. - С. 82-90.

24. О росте зерен в чистом и микролегированном иттрием никеле // Структура жидкости и фазовые переходы. - Днепропетровск: ДГУ, 1978. - С. 80-83.

25. Ольшанецкий, В. Е. Об ориентированном росте однофазных и двухфазных структур колониального типа [Текст] / В. Е. Ольшанецкий // Нові матеріали і технології в металургії та машинобудуванні. - 2002. - №1. - С. 14-22.

26. Ольшанецкий, В. Е. О кинетике ориентированного роста двухфазных пластинчатых колоний [Текст] / В. Е. Ольшанецкий // Сборник трудов 5-го Собрания металловедов России. - Краснодар: Кубань. гос. ун-т. технол. ун-т, 2001. - 397 с.

27. Зенер К. Кинетика распада аустенита. Trans. Am. Inst. Min. Met. Engr. 167 (1946) p.550.

28. M. Hillert. Роль межфазной энергии при фазовых превращениях в твердом состоянии. Джерконт. Ann. 141 (1957): 11, p. 757.

29. Люкке, К. Теория движения границ зерен [Текст] / К. Люкке, Г.-П. Штюве // Возврат и рекристаллизация металлов. - М.: Металлургия, 1966. - С. 157-194.

30. Ольшанецкий, В. Е. О продольно-поперечном ("веерном") росте колоний столбчатых зерен 1. Случай формирования структур полигонального типа [Текст] / Вадим Ольшанецкий // Нові матеріали і технології в металургії та машинобудуванні. - 2000. - №1. – С. 5-9.

31. Ольшанецкий, В. Е. О продольном росте колониальных структур в металлических сплавах [Текст]/ В. Е. Ольшанецкий // Новые конструкционные стали и сплавы, и методы их обработки для повышения надежности и долговечности изделий: материалы II Всесоюзной научно-техн. конф. - Запорожье, 1983. - С. 45-48.

32. Ольшанецкий, В. Е. О продольном росте колоний пластинчатых зерен в присутствии дисперсных частиц избыточной фазы. 1. Случай распространения рекристаллизационного фронта [Текст] / В. Е. Ольшанецкий, Ю. И. Спицына // Нові матеріали і технології в металургії та машинобудуванні. - 1997. - №1-2. - С. 7-10.

33. Бунин, К. П. Металлография чугуна [Текст] / К.П. Бунин, Ю.Н. Таран // Металловедение и термическая обработка металлов. - 1967. - №5. - С. 73 - 80.

34. Двайт, Г. Б. Таблицы интегралов и другие математические формулы [Текст] / Г. Б. Двайт. - М.: "Наука", 1978. - 224 с.

35. Smith C.S. - Trans AIME, 1948, 175, p.15.

36. Кривоглаз, М. А. О диффузионном увлечении частиц и пор движущейся границей [Текст] / М. А. Кривоглаз, А. М. Масюкевич, К. Н. Рябошапка // Физика металлов и металловедение. - 1967. - Т.24. - Вып.6. - С. 1129.

37. Ольшанецкий, В. Е. О росте изомерных зерен в присутствии дисперсных частиц примесной фазы [Текст] / В. Е. Ольшанецкий, Ю. И. Спицына // Нові матеріали і технології в металургії та машинобудуванні. - 1999. № 1. - С. 5-10.

38. Любов, Б. Я. Кинетическая теория фазовых превращений [Текст] / Б. Я. Любов. - М.: Металлургия, 1969. - 263 с.

39. Ольшанецкий В. Ю. Деякі особливості усунення структур колоніального типу [Текст] / В. Ю. Ольшанецький // Нові конструкційні сталі і сплави та методи їх обробки для підвищення надійності та довговічності виробів : І Міжнародна науково-техн. конф. : тези доповідей. - Запоріжжя, 1995. - С. 33-35.

40. Кононенко, Ю. І. Прямий ріст пластинчастих зерен разом із частинками надлишкової фази в однофазному середовищі [Текст] / Ю. І. Кононенко, В. Ю. Ольшанецький // "Металознавство та термічна обробка металів". Дніпропетровськ, Придніпровська державна академія будівництва та архітектури. - 2013. - №2-3.- С. 32-37.

41. Кононенко, Ю. І. Зворотній ріст пластинчастих зерен разом із частинками надлишкової фази в однофазовому середовищі [Текст] / Ю. І. Кононенко, В. Ю. Ольшанецький // Строительство, материаловедение, машиностроение Выпуск 67. Серия: Стародубовские чтения 2013.: сб. науч. тр / ГВУЗ ПГАСА. - Днепропетровск, 2013. - С. 242-246.

42. Ольшанецкий, В. Е. О росте колоний столбчатых зерен в слабогетерогенных сплавах в присутствии частиц избыточной фазы [Текст] / В. Е. Ольшанецкий, Ю. И. Спицына // Проблемы современного материаловедения : сб. Трудов междунар. конф. – Дн-вск, 1997. - С. 68-69.

170

43. Ольшанецкий В., Спицина Ю. Продольный рост пластинчатых (столбчатых) колоний зерен под действием движущихся и противодвижущихся сил различной термодинамической природы // Евтектика IV: наук. і праці міжнар. конф. – Дн-вськ, 1997. - С. 34.

44. Ольшанецкий, В. Е. Ориентированный рост однофазных колониальных структур в присутствии подвижных пограничных включений второй фазы [Текст] / В. Е. Ольшанецкий, Ю. И. Спицына // Неметаллические включения и газы в литейных сплавах : сб. науч. Трудов VIII науч.-техн. конф. – Запорожье, 1997. - С. 7-11.

45. Ольшанецький, В. Про формування орієнтованих стовпчастих структур в металевих системах з дисперсними частинками фази виділення [Текст] / В. Ольшанецький, Ю. Спіцина // Конструкційні та функціональні матеріали : матеріали Другої міжнар. конф. – Львів, 1997. - С. 40-41.

46. Спицына, Ю. И. Термодинамические движущие и противодвижущие силы фронта роста однофазных колоний в слабогетерогенных металлических сплавах [Текст] / Ю. И. Спицына. И. Спицына, В. Е. Ольшанецкий // Нові конструкційні сталі та стопи і методи їх обробки для підвищення надійності та довговічності виробів : зб. наук. наук. Праць IX Міжнар. наук.-техн. конф. – Запоріжжя, ЗНТУ, 2003. – С. 125-128.

47. Ольшанецкий, В. Е. О продольно-поперечном ("веерном") росте колоний столбчатых зерен. 2. Случай перемещения рекристаллизационного фронта вместе с включениями дисперсной фазы [Текст] / В. Е. Ольшанецкий // Нові матеріали і технології в металургії та машинобудуванні. - 2001. - №1. -С. 10-13.

48. Ольшанецкий, В. Е. О продольном росте колоний пластинчатых зерен в присутствии дисперсных частиц избыточной фазы. 3. Случай комбинированной рекристаллизации [Текст] / В. Е. Ольшанецкий, Ю. И. Спицына // Нові матеріали і технології в металургії та машинобудуванні. - 1999. - № 2. - С. 5 - 9.

49. Ольшанецкий, В. Е. О продольном росте колоний пластинчатых зерен в присутствии дисперсных частиц избыточной фазы. 2. Случай распространения кристаллизационного фронта [Текст] / В. Е. Ольшанецкий, Ю. И. Спицына // Нові матеріали і технології в металургії та машинобудуванні. - 1998. - № 2. - С. 10-14.

50. Тернбулл Д. Термодинамика в физической металлургии стр. 282. Clevlend, U.S.A., 1950.

51. Ольшанецкий, В. Е. О продольном росте колоний столбчатых зерен в присутствии дисперсных частиц, увлекаемых фронтом кристаллизации [Текст] / В. Е. Ольшанецкий, Ю. И. Спицына // Нові матеріали і технології в металургії та машинобудуванні. - 2002. - № 2. - С. 9-14.

52. Ольшанецкий, В. Ю. Кристалізаційне формування орієнтованих стовпчастих структур в присутності рухомих дисперсних частинок надлишкової фази [Текст] / В. Ю. Ольшанецький, Ю. І. Спіцина // Нові конструкційні сталі та стопи і методи їх обробки для підвищення надійності та довговічності виробів (Збірник наукових праць ЗДТУ). - Запоріжжя, 1998. - С. 6-8.

53. Быков, И. О. Применение гидрированного титана с заданным содержанием кислорода для получения изделий методом порошковой металлургии[Текст] / И.О. Быков, А.В. Овчинников, С.И. Давыдов, [и др.] // Теория и практика металлургии: научный журнал. - Днепропетровск. - 2011. - №1-2. - С. 65-69.

54. Анализ изгибных струн пористого титана, обработанного методом пространственного держателя / В. Амиго, Л. Рейг, Д.Ж. Бусквест [и др.] // Порошковая металлургия. - 2011. - Vol. 54. - P. 67-70.

55. Новые процессы и материалы порошковой металлургии титана [Текст]: [сб. научн. трудов / Ин-т Титана; гл. ред. А.Н. Петрунько]. - Запорожье, 1992. - 83 с.

56. Гегузин, Я. Е. Физика спекания 2-е изд., перераб. и доп. [Текст] / Я. Е. Гегузин - М.: Наука, 1984. - 312 с.

57. Апробация порошков гидрированного титана производства КП "ЗТМК" в технологическом процессах порошковой металлургии [Текст] / О.М. Ивашин, Д.Г. Саввакин, М.И. Матвийчук [и др.] // Титан-2007 в СНГ: сб. науч. трудов / Международная конференция. Украина, г. Ялта 15-18 апреля 2007 года. - Киев. - С. 134-139.

58. Гич, Г.А. Теория спекания [Текст] / Г.А. Гич // Успехи физики металлов. - 1956. - Вып. 1. - С. 120-154.

59. Скребцов, А.А. Підвищення механічних і службових властностей спечених титанових сплавів [Текст] : дис. ... канд. техн. наук: 05.02.01 : утв. 13.04.2015 / Скребцов Андрій Андрійович. - Запоріжжя,. 0415U001369.

60. Матвийчук, М. В. Синтез высоколегированных титановых сплавов методом порошковой металлургии [Текст] / М. В. Матвийчук, Д. Г. Саввакин // Нові матеріали і технології в металургії та машинобудуванні. - 2010. - №1. - С. 81-84.

61. Ивашин, О. М. Синтез титанового сплава Ti-5Al-5V-5Mo-3Cr методом порошковой металлургии [Текст] / О. М. Ивасин, Д. Г. Саввакин, М. В. Матвийчук [и др.] // Металлофизика и новейшие технологии. - 2009. - № 8. - С.21 -29.

62. Скребцов, А. А. О торможении границ титановых порошковых сплавов остаточными порами [Текст] / А. А. Скребцов, Ю. И. Кононенко, В. Е. Ольшанецкий // Титан-2012: производство и применение : всеукр. науч.-техн. конф., 4-5 окт. 2012 г. : тезисы докл. - Запорожье, 2012. - С. 62-63.

63. Скребцов, А. А. Формирование свойств спеченного порошкового титана [Текст] / А. А. Скребцов, А. Е. Капустян, А. В. Овчинников // Стародубовские чтения: сборник научных трудов. - Днепропетровск, 2013. - С. 221-223.

64. Исследование структуры сварных соединений спеченных титановых сплавов [Текст] / А. А. Скребцов, А. В. Овчинников, А. Е. Капустян [и др.] // Стародубовские чтения: сборник научных трудов. - Днепропетровск, 2012. - С. 403-408.

65. Исследование структуры и механических свойств соединений титановых сплавов, полученных методом порошковой металургии [Текст] / А. А. Скребцов, А. Г. Селиверстов, А. В. Овчинников [и др.] // Титан - 2010: производство и применение: всеукр. науч.-техн. конф., 1-2 дек. 2010 г.: тезисы докл. - Запорожье, 2010. - С. 32 - 34.

66. Скребцов, А. А. Механизм формирования пористости при спекании титановых сплавов под воздействием водорода [Текст] / А. А. Скребцов, А. В. Овчинников, А. В. Шевченко // Строительство, материаловедение, машиностроение. Сборник научных трудов. Вып. 81. - Днепр, ГВУЗ "ПГАСА", 2016. - С. 163-166.

67. Волчок, И. П. Закономерности формирования структуры спеченного титанового сплава ВТ1-0 из порошков разной фракции [Текст] / И. П. Волчок, А. А. Митяев, А. А. Скребцов // 4 Міжнародна науково-практична конференція "Титан 2016: виробництво та використання в авіабудуванні". ЗНТУ, 03-04 листопада 2016р. - Запоріжжя, ЗНТУ, 2016 - С. 141.

68. Волчок, И. П. Влияние гранулометрического состава порошков на пористость и механические свойства изделий из титана [Текст] / И. П. Волчок, А. А. Митяев, А. В. Овчинников, А. А. Скребцов // 21 Международный конгресс двигателестроителей: Тезы докладов. - Харьков: НАУ "ХАИ", 05-10 сентября 2016 г. - С. 74.

69. Ивашин, О. М. Производство титановых сплавов и деталей экономичным методом порошковой металлургии для широкомасштабного промышленного применения [Текст] / О. М. Ивасишин, Д. Г. Саввакин, К. А. Бондарева, В. С. Моксон, В. А. Дузь // Наука та інновації. Інноваційні проекти Національної академії наук України. - 2005. - 2 - Том 2 - С. 44-57.

70. Ольшанецкий, В. Е. О термодинамике взаимодействия сферических включений с движущимися границами зерен [Текст] / В. Е. Ольшанецкий, Ю. И. Кононенко // Нові матеріали і технології в металургії та машинобудуванні - №2 - Запоріжжя: ЗНТУ, 2016. - С. 128-130.

71. Дурягіна, З. А. Структурно-енергетичний стан внутрішніх та зовнішніх меж поділу у металевих системах (монографія) / З. А. Дурягіна, В. Ю. Ольшанецький, Ю. І. Кононенко. - Львів: Видавництво Львівської політехніки, 2013. - 456 с.

72. Петрик, И. А. Ра зработка порошков титановых сплавов для аддитивных технологий применительно к деталям ГТД [Текст] / И. А. Петрик, А. В. Овчинников, А. Г. Селиверстов // Авиационно-космическая техника и технология, 2015. - №8 - С. 11-16.

73. Овчинников А. В. Реализация аддитивных процессов сварки при проектировании и производстве деталей газотурбинных авиадвигателей [Текст] / А. В. Овчинников, Ю. Ф. Басов, И. А. Петрик, А. А. Скребцов, Ю. А. Марченко // Авиационно-космическая техника и технология. - 2017. - № 7. - С. 140 - 145.

74. Скребцов, А. Структуроутворення при адитивній наплавці титанових сплавів [Текст] / Андрій Скребцов, Юлія Кононенко, Олена Лисиця // Сучасна наука та освіта: стан, проблеми, перспективи: матеріали III міжнарод, наук.-практ. конф., 20-21 березня 2023 р. м. Полтава: ДЗ "ЛНУ імені Тараса Шевченка", 2023. - С. 432-433.

75. Ольшанецкий, В. Е. Уплотняемость порошковых материалов с различной формой частиц [Текст] / В. Е. Ольшанецкий, А. В. Овчинников, А. А. Джуган, О. А. Михайлютенко. //Новые

материалы и технологии в металлургии и машиностроении. - 2015. - №1. - С. 130-133.

76. Скребцов, А. А. Получение деталей из сплавов титана аддитивными методами [Текст] / А. А. Скребцов, А. В. Овчинников, В. Г. Шевченко, О. А. Михайлютенко, Т. А. Жила // Строительство. Материаловедение. Машиностроение. Серия: Стародубовские чтения. - 2017. - Вып. 95. - С. 118-122.

Milton Keynes UK
Ingram Content Group UK Ltd.
UKHW020851290324
440175UK00001B/342